Jevan, ar daith

GW00392347

Nos Iau, Maes C, Eisteddfod Glyn Ebwy
Llun: Marian Delyth

Iwan, ar daith

Cofio Iwan Llwyd

Golygydd:
Myrddin ap Dafydd

Gwasg Carreg Gwalch

Cydnabyddiaeth

Dymunwn ddiolch i'r canlynol am fenthyca lluniau/cardiau a gwahanol loffion ar gyfer y gyfrol hon:

Marian Delyth
Siôn Jones
Robat Gruffudd
Geraint Løvgreen
Twm Morys
Emyr Lewis ac Angharad Dafis
Steve Eaves
Owen Owens
Karen Owen
Steve a Sian Jones
Michael Bailey Hughes
Mari Beynon Owen
Roger Lougher
Liz Fleming-Williams
Canolfan Tŷ Newydd
Nia Richards
Anwen Hughes, Melin-y-coed
Gwen Lasarus

Argraffiad cyntaf: 2010

Rhif rhyngwladol: 978-1-84527-342-2

Mae'r cyhoeddwr yn cydnabod cefnogaeth ariannol Cyngor Llyfrau Cymru

Dylunio: Elgan Griffiths

Cyhoeddwyd gan Wasg Carreg Gwalch,
12 Iard yr Orsaf, Llanrwst, Conwy, LL26 0EH.
Ffôn: 01492 642031 Ffacs: 01492 641502
e-bost: llyfrau@carreg-gwalch.com
lle ar y we: www.carreg-gwalch.com

Cynnwys

Portread trawiadol Marian Delyth a ddefnyddiwyd ar gyfer y gyfrol *Hanner Cant* ac ar gyfer cyhoeddusrwydd y daith.

Cyflwyniad

Yn Eisteddfod Genedlaethol Glyn Ebwy, cyflwynodd criw o'i gyfeillion
gerddi, caneuon ac atgofion am Iwan yn y Babell Lên ac yna ym Maes
C. Rhwng hynny a diwedd Tachwedd, aed â'r sioe ar daith at bymtheg
o'r cymdeithasau hynny ledled Cymru oedd yn golygu cymaint i Iwan
fel bardd a cherddor. Gystal i ni eu rhestru yma: Gwesty'r Marine,
Cricieth; Palas Pinc, Y Felinheli; Gwesty'r Foelas, Pentrefoelas; Cian Offis,
Llangadfan; Y Ring, Llanfrothen; Tŷ Newydd, Aberdaron; Gwesty'r Fic,
Porthaethwy; Clwb Pêl-droed, Rhuthun; Tafarn yr Eryrod, Llanuwchllyn;
Tŷ Tawe, Abertawe; Ysgol y Cymer, Cwm Rhondda; Tafarn y Diwc,
Caerdydd; Gwesty'r Marîn, Aberystwyth; Ysgol Penweddig, Aberystwyth;
Gwesty'r Emlyn, Tan-y-groes. Cafwyd cynulleidfaoedd niferus, gwresog
a gwerthfawrogol ym mhob rhan o Gymru – roedd dros 1,300 wedi galw
heibio. Mae'r criw yn dymuno cydnabod cymorth a haelioni y llu o
drefnwyr gwirfoddol ar hyd ac ar led y wlad a'i gwnaeth hi'n bosib
inni ymweld â chynifer o ganolfannau mewn amser byr. Diolch hefyd
i'r ffotograffydd Marian Delyth am roi ei phortread arbennig o Iwan yn
rhodd inni i'w ddefnyddio ar gyfer cyhoeddusrwydd y daith.

Llumiau: Marian Delyth

Taith cofio Iwan ar Maes C ac yng Ngwesty'r Marîn, Abersystwyth.

Bob noson o'r daith honno, gwahoddwyd beirdd a chantorion eraill i ymuno â ni i gyflwyno eitem neu ddwy yng nghwrs y sioe. Golygai hyn bod pob noson yn wahanol i'w gilydd a bod y deunydd yn magu trwch fel caseg eira wrth fynd o le i le. Mae bron y cyfan o gyfraniadau'r gyfrol hon yn ffrwyth y daith, gan ddiolch yn ogystal am ambell gyfraniad arall a ddaeth o deyrngedau a dalwyd mewn gwahanol gylchgronau.

Ar gyfer y daith, roedd Geraint Løvgreen wedi creu alawon i nifer o ganeuon yr oedd Iwan wedi'u cyfansoddi ers tro ond nad oeddent wedi'u perfformio cyn hynny – mae amryw o'r caneuon hynny yn y gyfrol hon, ac fel y dywedodd Geraint, dydi rhywun ddim yn siŵr

erbyn hyn nad Iwan ei hun oedd gwrthrych rhai ohonynt. Yn ogystal
â'r cerddorion 'craidd' ar y daith, rydym eisiau diolch i Bobs (Huw
Pritchard), Ail Symudiad, Gwil John, Huw Lloyd-Williams ac Einion
Gruffudd am eu cyfraniadau i wahanol nosweithiau. Mae'r criw yn
dymuno cydnabod cymorth a haelioni y llu trefnwyr

Fel yn hanes teithiau beirdd a chantorion yn y gorffennol, yr oedd
y pwyslais ar y pleser o rannu atgofion ar y daith hon. Y ffordd orau
o gofio am y teithiwr mawr oedd mynd ar daith i geisio codi hwyl
y nosweithiau hynny a gawsom i gyd yng nghwmni Iwan. Ond yn
naturiol roedd yr hiraeth yno yn llercian drwy'r amser hefyd.

Mae gan Iwan gerdd gynnar yn awgrymu fod barddoni yn y Gymraeg fel bod 'mewn pyb yn Llundain', ar ymylon cymdeithas a neb yn gwrando. Dw i'n amau dim bod y teimlad ynysig yna'n rhan ohono fo yn y cyfnod cynnar. Roedd ein cenhedlaeth ni'n sgrifennu ar y dechrau i gynulleidfa o bobol hŷn ond yn raddol mi newidiodd gwaith Iwan ac mi newidiodd

barddoniaeth Gymraeg. Mi ddaeth i sgrifennu i'w genhedlaeth ei hun ac i'r to nesa' – ac mi ddaeth ei gerddi o hyd i'w cynulleidfa.

Dechreuodd gynnal nosweithiau barddoniaeth a digwyddiadau llenyddol gwahanol, gyda'r rheiny yn bwrw eu gwreiddiau cyntaf cyn gynhared â thaith *Tros Ryddid?* a'r *Babell Glên* yn Stablau'r Bwl, Eisteddfod Genedlaethol Môn, Llangefni yn 1983. Mae barddoniaeth Gymraeg wedi prifio dros y chwarter canrif ddiwethaf ac roedd cyfraniad Iwan yn allweddol. Y fo oedd y pontiwr rhwng y beirdd a'r cerddorion a roddodd gymeriad arbennig i'r adloniant llenyddol/ gerddorol yr oeddem yn ei gynnig. Yn wahanol i ambell farn a leisir gan y to traddodiadol, nid yw ymestyn y diwylliant a chael cynulleidfa newydd ddim yn golygu creu barddoniaeth israddol.

Bu taith Awst-Tachwedd, 2010 yn daith anodd ar brydiau, ond roedd yn daith yr oedd yn rhaid ei gwneud. Mae'n rhaid gadael rhai er mwyn teithio, a bu hon yn gyfle inni werthfawrogi eto y ddeallltwriaeth fu rhwng Iwan a'i deulu agosaf. Mae'n gyfle inni gydnabod ar goedd ac i ddiolch hefyd i Nia a Rhiannon am ei gwneud hi'n bosib i Iwan gael y bywyd a gafodd, ac i wneud y cyfraniad a wnaeth. Cafodd Iwan fyw fel bardd o Oes y Cywyddwyr ar lwyfan y byd modern a'r ddeallltwriaeth honno oedd yr allwedd i hynny.

Myrddin ap Dafydd,
ar ran Ifor ap Glyn, Mei Mac, Twm Morys, y beirdd
a Geraint Løvgreen, Owen Owens,
Edwin Humphreys, y cerddorion

Y Dieithryn

Roedd ganddo sgidiau o Sao Paolo
a het o Bogota,
a modrwyau ar ei fysedd
yn aur fel haul yr ha',
disgleiriai'i lygaid gleision
â chyfrinachau'r daith,
ac roedd sawl hen gwffas creulon
yn cuddio dan ei graith:

doedd 'na neb yn cofio'i enw,
ond roedd pawb yn cofio'i wên,
a'i wallt blêr yn gydynnau,
a'i geg yn gam a chlên:
pob tro y trawai heibio
roedd 'na sŵn a chwerthin mawr,
a phawb ganddo mor gyffredin
â'r llwch sydd ar y llawr:

dyro gân hen ffrind, dyro gân,
am y graig goch a'r gorwel ar dân,
am un yn arbennig
a phawb yn ddiwahân,
dyro gân hen ffrind, dyro gân.

Mae ei hanes yn gyfarwydd,
ond 'does neb a ŵyr ei hynt,
o daleithiau y dyfodol
i'r hen ranbarthau gynt:
mae o yno ym mhob cwmni,
o Frasil i Wlad yr Iâ,
a'i sgidiau o Sao Paolo,
a'i het o Bogota ...

*Roedd hon yn un o'r caneuon
y byddai Iwan yn eu canu ar
y gitâr, a finnau'n cyfeilio ac
yn canu harmoni, pan fydden
ni'n dau'n cadw nosweithiau
mewn tafarnau yn ambell le yn
y Gogledd yma. Wnes i ddim ei
holi o pwy oedd y "Dieithryn".
Roedd o wrth ei fodd yn sylwi ar
hen gymeriadau mewn tafarn
ac yn tynnu sgwrs, ac mae'n
debyg bod hwn yn un o'r adar
brith rheiny. Ond, a hwyrach
mai fi oedd yn ddwl, erbyn
hyn dwi'n synhwyro mai rhyw
estyniad ohono fo'i hun oedd y
rhan fwyaf o'r cymeriadau yn ei
ganeuon.*

Geraint Løvgreen

Y Gaucho

Mae o 'di bod ar daith ers saithdeg chwech,
mae o ar drên sgrech o siwrne,
mae 'i wallt o'n gwynnu'n ara' deg,
ond 'dio ddim am redeg adre:
mae ganddo gardie rif y gwlith
ym mhoced ei siaced leder,
pob un yn dyst i'r saeth a wnaeth
y gwaed sy ar ei goler:

ac mae 'na haul ac ogle diod ar ei wynt,
ac mae pob un taith yn gwneud
i'w galon o guro'n gynt,
felly dyma 'obrigado' am y siawns
i flasu'r ŵyl a rhannu hwyl y ddawns.

Mae'r haul yn pobi'r palmant poeth,
mae'n drannoeth y ffiesta,
ac mae 'na ryfel rhywle 'mhen draw'r byd,
yr un hen ddedfryd ara':
yn y stafell gefn mae hogiau'r paith
yn yfed maté chwerw,
yn taeru nad 'u tylwyth nhw
fu acw'n cadw twrw.

Mae'n bryd iddo eto groesi'r ffin,
mynd am y drin ddiderfyn,
sy'n gwmwl ar y gorwel pell
ac yn wlad anghysbell wedyn:
'does dim o'i ôl ond cawod lwch
a'r tawelwch sydd yn dilyn
y storm a gododd wedi stŵr
y gŵr na ŵyr un gelyn.

Dyma eiriau roedd
Iwan wedi'u rhoi imi
yn weddol ddiweddar,
a finnau wedi cymryd
cip arnyn nhw a'u
stwffio i'r ffolder
caneuon, gyda'r bwriad
o wneud rhywbeth
efo nhw ryw ben.
Ffrwyth ei deithio yn
Ne America, meddyliais,
gan deimlo felly eu
bod nhw ychydig y tu
allan i 'mhrofiad i. Ond
o ddarllen y gân eto
yn fuan ar ôl i Iwan
farw, mi welais i fod y
'Gaucho' yma'n rhywun
roeddwn i wedi'i nabod
yn iawn...

Geraint Løvgreen

Iwan – Llwybr amser

- Geni, Llanidloes, Powys: 15fed Tachwedd, 1957

- Yn wyth mis oed, mudodd y teulu o Garno i Dal-y-bont, Dyffryn Conwy; ym 1968, mudodd y teulu i Fangor

- Medi 1969, Ysgol Friars, Bangor

- Medi 1976, Myfyriwr yng Ngholeg Prifysgol Cymru, Aberystwyth, gan dderbyn gradd bellach am ymchwil ar noddwyr y beirdd yn Arfon

- Cadair Eisteddfod Ryng-golegol, Bangor 1979 – 'Y Ffynnon'

- Cadair Eisteddfod Ryng-golegol Abertawe, 1980

- Aelod o'r grŵp 'Doctor' yn Aber

- Cadair Eisteddfod Genedlaethol yr Urdd Bro Colwyn, 1980

- Cyhoeddi ei gyfrol gyntaf, *Sonedau Bore Sadwrn*, Chwefror 1983 (Y Lolfa, Talybont)

TROS RYDDID?

Cerddoriaeth: Geraint Lovgreen

Geiriau: Myrddin ap Dafydd

DAN ANESTHETIG

Iwan Llwyd · Iwan Bala

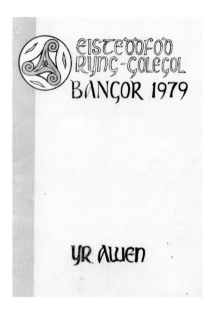

- Perfformio yn sioe *Tros Ryddid*? gan Geraint Løvgreen a Myrddin ap Dafydd yn Theatr Fach y Maes, Eisteddfod Genedlaethol Môn yn Llangefni, Awst 1983 ac ar daith fer yn yr hydref.

- Aelod o'r grŵp, Geraint Løvgreen a'r Enw Da yn 1984. Bu hefyd yn aelod o Nos Sadwrn Fach yng Nghaerdydd (gydag Ifor, Gari Beard, Maredudd ab Iestyn, Guto Dafis a Martin ar y drymiau), band a atgyfodwyd yn yr Eagles yng Nghaernarfon yn 1995, gyda Geraint Løvgreen ac Owen Owens.

- Cyfeilio i Steve Eaves yn nechrau'r 1980au, ac yn rhan o'i Driawd (gydag Elwyn Williams a Gwyn Howells) a 'Rhai Pobol' ar ôl hynny.

- Swydd olygyddol gyda Gwasg Prifysgol Cymru yng Nghaerdydd, 1983-84

- Priodi Nia, 1985

- Swydd weinyddol gyda Chwmni Hwyl a Fflag ym Mangor yn 1986, yna Swyddog Cysylltiadau Cyhoeddus gyda Chyngor Sir Clwyd cyn ymuno â Cenad, Caernarfon

- Taith *Fel yr Hed y Frân* a chyfrol o'r un enw ar y cyd â Menna Elfyn, Gerwyn Williams ac Ifor ap Glyn, 1986

- Cyhoeddi *Dan Anesthetig* gyda darluniau gan Iwan Bala, 1987 (Gwasg Taf, Caerdydd)

- Taith *Cicio'r Ciwcymbars*, 1988 gydag Ifor ap Glyn, Menna Elfyn, Steve Eaves ac Elwyn a Dicw yn cyfeilio

- Cyhoeddi ei ddarlith ar y cywyddwyr, *Llwybro â Llafur at Lynllifon* yn 1990 (Cyhoeddiadau Glynllifon, Gwynedd)

- Ennill y Goron am gasgliad o gerddi ar y testun 'Gwreichion', Eisteddfod Genedlaethol Cwm Rhymni, Awst 1990

- Cyhoeddi *Dan Fy Ngwynt* gyda ffotograffau gan Martin Roberts, Awst 1992 (Gwasg Taf, Caerdydd)

- Bu farw ei dad, Dafydd Lloyd Williams, y Pasg, 1993

- *Hud ar Ddyfed*, drama Iwan yn cael ei pherfformio gan Gwmni Hwyl a Fflag, 1993

- Cyd-olygu *Cywyddau Cyhoeddus* gyda Myrddin ap Dafydd, Gorffennaf 1994, Gorffennaf 1994 (Gwasg Carreg Gwalch, Llanrwst). Dilynwyd y gyfrol gyda chyfres o nosweithiau a dwy gyfrol arall *Cywyddau Cyhoeddus 2* (1996) a *Cywyddau Cyhoeddus 3* (1998).

- Dwy gyfres deledu o gerddi taith am 'Mericia a Chymru gyda chwmni Telegraffiti (Michael Bailey Hughes), 1994 ac 1996

- Taith a chyhoeddi *Bol a Chyfri Banc* gydag Ifor ap Glyn, Geraint Løvgreen, Edwin Humphreys a Myrddin ap Dafydd, Hydref 1995 (Gwasg Carreg Gwalch, Llanrwst)

- Cerddi yng nghyfrol *Rhiwlas* (Gwasg Carreg Gwalch) a'r Arddangosfa Celf a Chrefft yn Eisteddfod Genedlaethol y Bala, 1997

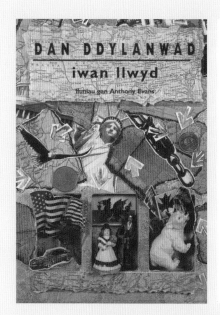

- Cyhoeddi *Dan Ddylanwad*, gyda lluniau Anthony Evans Tachwedd 1997 (Gwasg Taf, Bodedern). Enillydd Gwobr Llyfr y Flwyddyn 1997

- Taith *Ffwlmonti Barddol*, haf 1998 gyda Geraint Løvgreen, Edwin Humphreys, Ifor ap Glyn a Myrddin ap Dafydd

- Cyhoeddi ysgrif 'Elvis, Memphis a mi' yn *Y Teithiwr Talog*, gol. Gwyn Erfyl, Tachwedd 1998 (Gwasg Carreg Gwalch, Llanrwst)

- Teithio De America gyda Twm Morys a pharatoi rhaglenni taith gyda Telegraffiti yn 1998 a chyhoeddi cyfrol *Eldorado*, Medi 1999 (Gwasg Carreg Gwalch, Llanrwst)

- Geni merch Iwan a Nia, Rhiannon, Chwefror 1999

- Cyhoeddi dilyniant o'i gerddi yn *Owain Glyndŵr 1400-2000*, ynghyd â lluniau Margaret Jones a cherddi Saesneg Gillian Clarke (Llyfrgell Genedlaethol Cymru, Aberystwyth)

- 2000-2001, taith *Syched am Sycharth* yng nghwmni Myrddin ap Dafydd, Geraint Løvgreen, Ifor ap Glyn a Twm Morys a chyhoeddi'r sgript yn gyfrol, Gorffennaf 2001 (Gwasg Carreg Gwalch, Llanrwst)

- Cyhoeddi *Eldorado* Iwan Llwyd, 2000 – casgliad o gerddi a chyfieithiadau Saesneg gan Geraint Løvgreen. Argraffwyd gan Wasg Carreg Gwalch; cyhoeddwyd gan Iwan Llwyd.

- Hydref 2002, cyhoeddi *Mae'n gêm o ddau fileniwm*, cyflwyno beirdd a barddoniaeth, gol. Iwan Llwyd a Myrddin ap Dafydd, yn cynnwys CD (Gwasg Carreg Gwalch, Llanrwst)

- Hydref 2002, cyhoeddi cerddi pobl ifanc gan Iwan Llwyd, Aled Lewis Evans, Myrddin ap Dafydd, Elinor Wyn Reynolds yn y gyfrol Pac o Feirdd (Gwasg Carreg Gwalch, Llanrwst)

TWM MORYS ac IWAN LLWYD

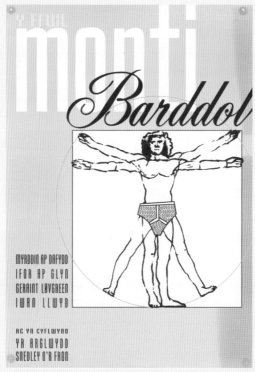

- *Taith y Saith Sant* gyda Mei Mac, Ifor ap Glyn, Geraint Løvgreen, Myrddin ap Dafydd, Edwin Humphreys, a Twm Morys yn Eisteddfod Genedlaethol Tyddewi 2002 a'r gaeaf canlynol

- Mawrth 2003, cyhoeddi *Be 'di blwyddyn rhwng Ffrindia?* – cerddi 1990-1999 (Gwasg Taf, Bodedern)

- Gwanwyn 2003, gweithdai barddoniaeth 'Y Barcud Coch' gyda Myrddin ap Dafydd yn ysgolion cynradd Powys ac Ysgol Uwchradd Llanfair-ym-Muallt, gyda'r ddiweddar Olwen Edwards yn trefnu'r cyfan. Cyhoeddwyd casgliad *Cri'r Barcud Coch* ym Mawrth 2004

- Cyhoeddi *Da Bangor a Bangor – il viaggio di bardo* – cyfrol o'i waith yn Eidaleg, cyfieithiadau Andrea Bainchi a Silvana Siviero, Hydref 2003 (Lenuvole/Mobydick)

- Cyhoeddi *Hanner Cant*, gyda lluniau Marian Delyth, Rhagfyr 2007 (Gwasg Taf, Bodedern)

- Ei ddrama *Mae Gynnon ni Hawl ar y Sêr...* yn teithio gyda Llwyfan Gogledd Cymru

- Cyhoeddi *Rhyw Deid yn Dod Miwn*, gyda lluniau Aled Rhys Hughes, Awst 2008 (Gwasg Gomer, Llandysul)

- Cyhoeddi *Sonedau Pnawn Sul*, gyda lluniau Catrin Williams, Awst 2009 (Gwasg Carreg Gwalch, Llanrwst)

- Bu farw, 28 Mai, 2010

'My friend has just won the Crown'

Yn Awst 1990 roeddwn wedi dechrau swydd newydd yn Adran Rhaglenni Pobl Ifanc y BBC yn Llundain. Gan fod gen i deledu bach yn fy swyddfa, a hithau'n wythnos Steddfod, digon hawdd oedd cadw rhyw gipolwg slei ar y darllediadau o'r prif seremoniau, er bod y sylwebaeth yn Saesneg wrth reswm yn taro'n od.

Pan gododd Iwan ar ei draed ar y pnawn Mawrth, allwn i ddim cuddio fy malchder o weld fy ffrind ysgol yn cael ei goroni a dyma ruthro allan i'r brif swyddfa llawn ymchwilwyr a chynhyrchwyr brwd gan gyhoeddi i bawb : 'My friend has just won the Crown!' Llugoer oedd yr ymateb ac mae'n siŵr imi gadarnhau yn eu meddyliau fy mod yn aderyn tra gwahanol i weddill y fflyd 'uber-cool' hwnnw. Allen ni ddim aros tan y penwythnos i'w heglu hi o'r ddinas i gael dathlu ei lwyddiant.

Bangor Lad

Dwi'n rhyw amau fod Iwan wedi ysu erioed i fod yn 'Bangor Lad' go iawn, rhywun fel Eilir Thomas, a roddodd iddo'r enw Iwan 'Big Ears' pan gyrhaeddodd Ysgol Gymraeg St Paul yn ddeg oed, neu fel y 'Bangor Lad' enwocaf ohonyn nhw i gyd, sef George yn C'mon Midffild, y rhan a chwaraewyd gan ei frawd Llion. Ond hogyn o'r wlad oedd Iwan ac yn sicr ein hargraff gyntaf ohono fo oedd rhywun gwladaidd, wedi'i drwytho yn y 'pethe' – capel a drama a thipyn o sgolor.

Ond mewn maes go wahanol y cafodd lwyddiant cynnar – gwybodaeth rheolau ffordd fawr – oherwydd yn 1969, coronwyd Iwan ynghyd â Manon Eames, Huw Ellis Williams, Christopher Hughes,

Llun: Roger Lougher

Coron Iwan yn Nhai Newyddion.

Siân Ilid Gruffudd a finnau, yn bencampwyr adran Sir Gaernarfon!

Blynyddoedd yn ddiweddarach rwy'n ei gofio'n disgrifio yn ddireidus ei syndod at ba mor ffasiynol a slic oeddem ni'r Bangoriaid o gymharu â phlant Dyffryn Conwy, yn arbennig felly Dafydd Arthur a oedd ar y pryd yn gwisgo'r ffasiwn ddiweddaraf – 'ski pants'! Daeth Iwan a Dafydd yn ffrindiau da, yn arbennig oherwydd eu diddordeb mewn drama a chynhyrchiadau Cymdeithas Ddrama Capel y Graig ym Mhenrhosgarnedd.

Yn Ysgol Uwchradd Friars, byddai Iwan a finnau'n troedio'r llwyfan yn gyson yng nghynyrchiadau'r Gymdeithas Ddrama. Yn 1975, perfformiwyd *Eisteddfod Bodran*, gyda'r adolygydd yn nodi yng nghylchgrawn yr ysgol, *The New Dominican*: 'Yr oedd Iwan Lloyd Williams yn cario baich enfawr wrth chwarae rhan Manawydan ond llwyddodd yr actor hwn yn rhyfeddol i greu cymeriad credadwy ar y llwyfan'. Cefais innau ganmoliaeth uchel! Y cynhyrchydd oedd Hywel Bebb, yr athro Cymraeg, un a fu'n ddylanwad aruthrol ar Iwan gan iddo'i annog i farddoni. Wrth ddarllen eto'r cerddi a ysgrifennodd yn y

(Y plant - o'r chwith) Siân Ilid Gruffudd, Mari Owen, Huw Ellis-Williams, Manon Eames, Christopher Hughes, Iwan Lloyd Williams

(Y plant - o'r chwith) Christopher Hughes, Manon Eames, Siân Ilid Gruffudd, Mari Owen, Huw Ellis-Williams, Iwan Lloyd Williams

chweched dosbarth, mae'n o amlwg fod yma gyw bardd disglair.

Y cyfnod hwn oedd oes aur y cyngherddau roc a gynhelid ar draws gogledd Cymru – ar y penwythnos byddem i gyd yn heidio i Gorwen, i'r Winter Gardens, Llandudno a Dixieland, Bae Colwyn. Dyna lle fyddai Iwan a Robin Gwyn, reit yn y ffrynt, wedi'u swyno'n llwyr gan eu harwyr. Ond, yr oedd yna ochr ddifrifol, gydwybodol iawn i Iwan ac yn aml byddai'n dwrdio fi a fy ffrindiau am ein gwamalrwydd, ein diffyg ymrwymiad i'n hiaith a'n diwylliant, a'n parodrwydd i feddwl yn unig am fwynhau ein hunain! Serch hynny, fe lwyddodd i gael rhywfaint o ddylanwad arna i gan imi benderfynnu ar y funud ola i beidio mynd i'r coleg ym Manceinion ac yn lle hynny, hwylio am Aberystwyth. Felly, yn Hydref 1976 aeth tri ohonom o Ysgol Friars, Wil [Lôn Isa], Iwan [Big Ears] a finna Mari [Biscuits], i'r Coleg ger y Lli.

Bu Iwan yn driw iawn i Fangor; a bu'n ffrind ffyddlon i'w ffrindiau ysgol. Ac efallai y byddai erbyn hyn yn haeddu cael ei alw'n 'Bangor Lad'.

Mari Beynon Owen

Llun: Roger Lougher

Iwan ar lan afon Ogwen

Rhai atgofion coleg

Gwaith anodd iawn ydi sgwennu amdano fo, oherwydd roedd yna gymaint ohono fo rhywsut. Y tro dwytha imi fod ei gwmni fo am bwl go lew o amsar oedd yn Sardinia, ar daith lenyddol yng nghwmni Harri Pritchard Jones a Menna Elfyn ym mis Hydref 2008. Roedd Iwan mewn hwyliau ardderchog, yn gwmni difyr, yn frwd ei farn ac yn barod i drin a thrafod yn ôl ei arfer. Roedd ei chwilfrydedd yr un mor heintus ag erioed a'i ddiddordebau yn rowlio hwnt ac yma trwy bob math o adwyon, i bob math o wahanol feysydd. Melys iawn oedd cael ista allan yn hwyr y nos o dan y sêr, rhai bychain brith yn wybren uchel Môr y Canoldir yn trafod T.H. Parry-Williams. T.H oedd un o hoff feirdd Iwan – ac wedi bod erioed, ers pan oedd o'n hogyn ysgol. Arwahan i drafod barddoniaeth, fe fuo ni hefyd yn trochi yn y môr cynnes ac Iwan yn ei elfen. Ar daith mewn bws rhwng Sassari a Nuoro wedyn – trwy'r berfeddwlad sych - roedd ei lyfr bach du enwog yn ei law, ac yntau'n cyfansoddi amball englyn. Roedd o'n gyson greadigol a'r pethau mwyaf annisgwyl yn tanio ei ddychymyg o...

Mae dros ddeg mlynedd ar hugain – a mwy – o flynyddoedd ers i ni gyfarfod am y tro cyntaf erioed. Yn Harlech y digwyddodd hynny, ar rhyw gwrs drama nôl yn 1976, ond sgen i fawr o go am y cwrs ei hun, arwahan i'r ffaith i un o'r tiwtoriaid fynd i'w wely am ddeuddydd hefo potal o wisgi, a rhei ohono ni'n gorfod bod yn dynar iawn wrth drio ei swcro fo i ddŵad yn ôl ato ni. Be wnaethon ni i'w bechu fo, dyn yn unig a ŵyr. Hyd yn oed rŵan, dwi'n cofio Iwan yn hollol glir: hogyn main fel styllan, yn gwisgo gwasgod 'taid' a hancas goch am ei wddw (...dyna oedd ffasiwn Edward H ar y pryd...) a'i chwerthiniad unigryw. Roedd o bob amsar yn barod i chwerthin ar y mymryn lleiaf. Rhyw gwta fis yn diweddarach, roedd

Gerallt Pennant a finna yn gyrru mewn bws heibio i bonciau pinc caeau Ceredigion ar ein ffordd i Steddfod Aberteifi. Fe dreulion ni yr wythnos ar ei hyd yng nghwmni Iwan a chriw o hogia a genod o Ysgol Friars, Bangor. Roeddan ni i gyd yn hel at ein gilydd bob min nos yn y rhibyn hwnnw o gowt concrit o flaen tafarn yr Eagles – a hitha'n haf crasboeth.

Roedd Theatr Fach y Maes yn cynnig cystadleuaeth actio byr-fyfyr i grŵp o dan 25 oed – a gwobr o £50. Hwnnw oedd yr abwyd, am wn i. Dyma ni'n penderfynu mynd amdani a throi'n profiadau yn Harlech at bwrpas amgenach, ond yn drydydd ddaethon ni – a beirniadaeth giami iawn. A bod yn gwbwl onast, doedd 'na fawr o siap arnom ni ac ma'n siŵr gen i bod ni'n llanast ar y llwyfan. Grŵp o ysgol Rhydfelen ddaeth yn gynta, a ngwraig i yn eu mysg nhw, er na neuthon ni sylwi ar ein gilydd ar y pryd, (16 oeddan ni ein dau), ac yn eironig iawn, roedd Elisabeth hefyd hefo criw o ffrindiau yn yr Eagles yn ystod yr wythnos honno. Byd bach y Gymru Fach...

Ddiwedd yr haf hwnnw yr aeth Iwan yn fyfyriwr i Adran y Gymraeg, Coleg y Brifysgol, Aberystwyth. Mi es inna yno yn 1978, ac fe dyfon ni yn fwy fyth o ffrindiau, nes penderfynu ein bod ni'n mynd i rentu tŷ. Hofal tri llawr gawsom ni'n lleety, lle digon afiach a di-wres o'r enw y Gelli Aur ym mhen isaf George Street (...tu ôl i swyddfeydd y *Cambrian News* ar y pryd...). Tacteg y landlord, Cymro Cymraeg o Aberaeron, oedd galw am ei bres rent am 8.15 (!) o'r gloch ar fora Sadwrn, pan oedd o'n weddol saff o'n cael ni i gyd yn rhochian yn ein gwlâu. Erbyn heddiw, dwi'n ama yn gryf os y basa Gordon yn cael caniatâd i osod y ffasiwn dŷ i neb, oherwydd rheolau tân a diogelwch ag ati, ond digon llac oedd rhyw fanion dibwys felly

'Hofal tri llawr gawsom ni'n lleety, lle digon afiach a di-wres o'r enw y Gelli Aur ...'

yn nechrau wythdegau y ganrif ddiwethaf. Tenantiaid selog eraill George Street oedd Emyr Lewis, Siôn Aled, Gwyn Williams, Elwyn Williams, Owen Owens, Dylan Jones, Glyn Heilyn, Alun ap Brinli ac amball un arall, fel Twm Morys, Ynyr Williams a Geraint Lewis, a llaweroedd o bobol eraill hefyd, rhyw boblach a oedd yn tueddu i fynd a dŵad...

Ar brynhawniau gwlyb (ac roedd llawer iawn o rheiny) yn y Gelli Aur, pan fydda Iwan yn amal yn ista ar ei wely, yn strymio ei gitâr (...yn enwedig ar ôl cinio – ac mi roedd o'n sgut am hwylio prydau da o fwyd, yn enwedig pysgodyn, tatws a phys...), mi fydda ni'n dau yn cael trafodaethau hirion am bob math o bethau. Bob hyn a hyn, mi fydda ni'n cynhyrfu ac yn gwylltio ein gilydd. Ar y pryd, roedd 'na rhyw deimlad monolithig rhywsut ynglyn â'n cwrs Cymraeg ni, y teimlad – ganddom ni ein dau, beth bynnag – fod rhyw gonfensiwn wedi setlo ar yr adran, a fod pawb yn weddol gytûn mai dim ond un ffordd oedd yna o ddirnad y cwbwl o hanes llenyddiaeth Cymru. Dehongliad Saundersaidd oedd hwn mewn gwirionedd, ac erbyn hyn, yr un sy'n dal i gynnal fflam y ffydd ydi Bobi Jones ac amball un arall. Gan ein bod ni'n laslancaidd, fe ddechreuwyd gwingo a strancio yn erbyn y tresi, a dyna sut y dechreuon ni sgwennu llithoedd ynghylch pethau fel 'Myth y Traddodiad Dethol' ac ati. Wrth edrach yn ôl, roedd y trafodaethau yma yn holl bwysig i'n gwaith ni'n dau fyth oddiar hynny...

Tua hannar awr wedi pump, dyma Iwan yn codi a chamu at y bar er mwyn holi'r dyn, 'Excuse me, but when do you close around here?' Yr ateb siriol gafodd o oedd, 'Mid-November.'

Criw y Gelli Aur hefyd – Gwyn, Owen, Elwyn a Iwan – oedd cnewyllyn y grŵp pop 'Doctor.' Hwn oedd y cyntaf o grwpiau iddo fo ymhel â nhw. Ar ôl cyfnod bu'n chwarae hefo Geraint Løvgreen a Steve Eaves am flynyddoedd lawar a gwnaeth Iwan gyfraniad aruthrol yn y maes. Iwan oedd prif gyfansoddwr geiriau caneuon 'Doctor', caneuon bachog yn null y Jam, a'r enwocaf un o bosib oedd y gân annwyl hiraethus am 'Y Ferch o Donegal.' Roedd anwyldeb yn nodwedd amlwg iawn o'i gymeriad – anwyldeb a chydymdeimlad. Yn ystod haf 1980, fe aeth criw ohonom ni draw i 'Werddon mewn bws mini gan deithio trwy'r Gaeltacht, i An Spideal a Galloway, nes terfynu ein taith mewn fleadh yn Buncrana, tref yn y Weriniaeth sydd dros y ffin o Derry, lle, yn draddodiadol, roedd aelodau yr IRA yn cael croeso a noddfa. Am dri o'r gloch y bora, roedd hi fel canol dydd – a'r stryd yn orlawn. Tua hannar awr wedi pump, dyma Iwan yn codi a chamu at y bar er mwyn holi'r dyn, 'Excuse me, but when do you close around here?' Yr ateb siriol gafodd o oedd, 'Mid-November.'

Er mawr glod i Aberystwyth, fe enillodd Iwan gadair yn yr Eisteddfod Ryng-golegol ddwywaith, a hynny am gerddi wedi'u cyfansoddi yn y mesurau rhydd, ond roedd o yr un mor rhugl yn y mesurau caeth, ac fel aeth y blynyddoedd heibio, tyfodd i fod yn gynganeddwr gwydn iawn – yn un o'r goreuon. Un o'i hoff feirdd oedd Guto'r Glyn, ac yn enwedig ei farwnad enwog i Lywelyn ab y Moel. Roedd o'n hoff iawn o adrodd (ar chwiw uwchben rhyw bot o beint gan amlaf), 'Mae arch yn Ystrad Marchell/ Ym mynwent cwfent a'u cell/Ac yn honno gan hannerch/A saith gelfyddyd y serch/ A chledd, dewredd dihareb/A cherdd – yn iach – ni chwardd neb/ Lle rhoed o waith llawer rhaw/ Llywelyn, lle i wylaw.' (Yn Sardinia, tros swper mawreddog wedi'i drefnu gan rhyw athro prifysgol yn ei dŷ allan yn y wlad, fe ganodd Iwan (eto ar chwiw) bob un pennill o 'Roedd nain mewn bwthyn bach yn ymyl llwyn o goed/Yn byw yn ddedwydd iach yn bedwar ugain oed/Roedd perllan ganddi hi ag yn y blaen...hyd at y llinell lle roedd pawb yn gallu morio cyd-ganu hefo fo: 'A moch-ch-ch-chy-y-yn-yn yn y cwt!'...)

Yn y coleg, fe gafodd hyfforddiant ymarferol pellach, rhyw fath o brentisiaeth dwy flynedd yn y mesurau caeth – neu o leiaf yn y cywydd deuair hirion – trwy orfod llafurio ymysg y noddwyr a'u beirdd yn Sir Gaernarfon ar gyfer ei radd M.A. o dan oruwchwyliaeth yr Athro D.J. Bowen. Dyn a oedd yn cadw dau lygad craff iawn ar ei fyfywyr ymchwil oedd D.J. Bowen, a bob yn eildydd roedd yn gyrru cardiau post at Iwan yn y Gelli Aur i'w atgoffa am y peth yma a'r peth arall roedd disgwyl iddo ei gyflawni. Roedd rhain yn mynd ar nerfau Iwan yn ddifrifol. Ond yr hyn a oedd yn rhyfeddol i mi oedd mor debyg oedd llawysgrifen y ddau. Roedd gan D.J. Bowen lawysgrifen fechan, glir – un du hwnt o gymen. Un felly hefyd oedd llawysgrifen Iwan. Roeddan nhw bron yr un sbit. Ymchwilydd cydwybodol iawn oedd o, a byddai'n gyrru i fyny yn ddeddfol i'r Llyfrgell Genedlaethol bob bora, waeth befo faint o hwyl a miri a gafwyd y noson gynt. Am ryw reswm roedd o'n gyrru car hefo menyg lledar, a oedd wastad yn peri goglais i mi ar y pryd, er na wn i ddim pam yn hollol chwaith...

Joban a ddaeth â Iwan a finna yn nes at ein gilydd oedd comisiwn i gyfieithu y 'Brenin Llŷr' gan Shakespeare i'r Gymraeg, a hynny ar gyfer ei lwyfannu mewn cynhyrchiad gan Emily Davies a chriw o fyfyrwyr yn yr Adran Ddrama. Roedd hon yn orchwyl a hannar, ond fe aethon ni i'r afael â'r gwaith a chael lot o blesar, a dysgu llawar yr un pryd, trwy orfod turio yn weddol ddwfn i hanfodion testun a sylweddoli pa mor gymhleth, ac eto, pa mor organig oedd system ddelweddu Shakespeare. Does dim un gair yn wastraff ganddo fo ac mae pob un elfen yn plethu i'w gilydd yn gelfydd – ac er ei bod hi'n ddrama 'epig' o ran ei maint, eto, mae hi yn ddrama wirioneddol dynn ei gwead.

Roedd y gwaith cyfieithu ei hun fel codi wal fynydd fawr o droed Graig Goch tua'r copa. Yr unig ddrwg oedd fod clawdd godwr arall wedi bod wrthi o'n blaena ni, a'r Athro W. J. Gruffydd oedd hwnnw. Darlledwyd ei fersiwn o ar y BBC, fersiwn radio 90 munud, rywdro yn 30'au yr ugeinfed ganrif. Gwaith Iwan a finna oedd llenwi'r bylchau. Dyna oedd y gorchymyn a gafwyd gan Emily Davies. Yn anffodus, doedd cerrig llanw, cerrig cloi na cherrig copa'r clawdd ddim bob amsar yn ffitio yn daclus i'w gilydd. Gwahaniaeth yng nghysyniadau arddull dau gyfnod gwahanol oedd y drwg. Teimlodd Iwan fod Llŷr yn haeddu iaith foelach, finiocach - un wedi ei naddu i'r bôn, yn hytrach na bombast blodeuog a oedd yn tueddu i niwliogi yr emosiwn a'r themau. Roedd o'n agos i'w le, gan mai drama Fecketaidd iawn ydi Llŷr yn y bôn. Yn ddiweddarach, fe gyfieithodd Iwan 'Woyzeck' Georg Büchner, ac er na welais i mo'r cynhyrchiad, dwi'n siŵr mai y fo oedd yr union ddyn i drosi honno i'r Gymraeg, gan fod arddull y ddau mor debyg i'w gilydd.

Moel, uniongyrchol a llafar fuo arddull Iwan ei hun, a hynny bron o'r cychwyn cynta un. Dylanwad T. H. yn ddi-os. Roedd o'n casáu hen drawiadau a hen 'eirfa' dreuliedig. Roedd o'n grediniol fod angen ymestyn geirfa barddoniaeth fel y gallai hi gyfathrebu â chynulleidfa heddiw – cynulleidfa ifanc. Roedd yn fwy ymwybodol na neb o werth a chyfoeth a chynhysgaeth wirioneddol hen yr awen Gymraeg, ond eto, roedd yn rhaid i'w gerddi o weithredu o dan amodau perfformiad, yn bethau a oedd yn brofiadau byw – mewn geiriau eraill, yn ddarnau o ddramâu bychain, a oedd i fod i ennyn ymateb yn y fan a'r lle. (Darllenais yn ddiweddar y dylai gwir farddoniaeth effeithio ar y system nerfol cyn cyrraedd hyd yn oed y dychymyg na'r meddwl na'r is-ymwybod nag unman arall, a dwi'n meddwl fod llawer o wirionedd yn hyn...) Cenhadaeth fawr gyrfa Iwan oedd canfod iaith a mynegiant allai chwythu anadl o'r newydd i brydyddiaeth ein cyfnod a magu diddodreb ehangach ynddi. Dyma paham yr aeth â barddoniaeth at y bobol – at blant yn enwedig - ac fe wnaeth hynny mewn sawl gwlad, gan wneud diwrnod da o waith.

Gwneud ein gorau wnaethom ni hefo'r 'Brenin Llŷr', ond gan fod y sgript derfynol mor anwastad, felly hefyd oedd y cynhyrchiad. Roedd y cast ifanc yn wynebu her amhosib gan fod y ddrama yma wedi trechu crefft a gallu cast yn eu hoed a'u hamser – a rheiny yn actorion profiadol tu hwnt. Digon llipa oedd dehongliad Anthony Hopkins o'r rhan pan fentrodd o ei daclo fo yn 1986 ar lwyfan Theatr Genedlaethol y Saeson. Doedd y noson agoriadol yn Aberystwyth ddim heb ei drama chwaith, gan fod haid o heddlu'r dre ar ôl Iwan. Rhyw noson neu ddwy ynghynt, roedd o ac un arall o denantiaid y Gelli Aur wedi mynd i groesawu ymweliad gan y Tywysog Charles â'r Llyfrgell Genedlaethol trwy baentio slogan ar y ffordd islaw Neuadd Pantycelyn. 'Cer adra Carlo' – os dwi'n cofio yn iawn. Yn anffodus, roedd rhyw snichyn yn cadw golwg. Ei heglu hi am ei hoedal wnaeth Iwan, ond cafodd y llall ei ddal.

Ar ddiwedd y perfformiad yn Theatr y Castell fe aethom ni am beint i'r Angel gerllaw – a chadw'n glir o'r Llew Du, lle roedd y cast wedi mynd. Yn y Llew Du roedd yr heddwas 'cudd' Ted Nicholas yn tueddu i glustfeinio, (...hogyn cringoch, a oedd wedi dechrau moeli yn ifanc oedd o, hefo sbectol gron, ddi-ffram, a bron yn ddi-ffael, roedd o'n gwisgo crys rygbi, jeans a trainers am ei draed. Dyma sut roedd plisman a oedd yn cogio bod yn stiwdant i fod i wisgo...) Penderfynu gadael Aber wnaeth Iwan. Aeth Nia a fo yn ei char hi i Wrecsam, lle roedd hi'n gweithio ar y pryd. Bu Iwan ar herw am tua tair wythnos. Dychwelodd unwaith i mofyn rhyw ddillad, ac fe alwodd y plismyn. Hel esgus wnaethom ni tra roedd Iwan yn sgrialu tros y wal gefn, gan anelu am yr orsaf, a oedd rhyw dafliad carreg i ffwrdd. Yn y diwedd, ni fu cyhuddiad yn ei erbyn oherwydd diffyg tystiolaeth.

Afraid dweud fod Cymru a'r Gymraeg yn agos iawn at ei galon o. Chlywais i mohono fo erioed yn pardduo neb – heblaw am wleidyddion. Mi fydda amball un yn ei yrru fo yn hollol hurt honco bost – yn enwedig rheiny ar y dde. Un o'r pethau cyntaf ofynnodd o i mi wrth inni ddisgwyl am ein hawyren i Sardinia am 4 o'r gloch y bora yn maes awyr Standstead oedd be o'n i'n feddwl o ryw ffieidd-dra roedd lluoedd America wedi ei gyflawni yn Affghanistan y diwrnod cynt... Roedd ganddo fo gonsyrn mawr tros y di-lais a'r di-freintiedig.

Mae cymaint wedi newid yng Nghymru (...ac eto heb newid gymaint â hynny chwaith...) yn ystod y 30 mlynedd diwethaf. Roedd diwedd y saith degau/dechrau'r wyth degau yn gyfnod anodd a thywyll iawn – yn gyfnod chwerw a siniciadd, yn gyfnod gweddol ddi-obaith ar sawl cyfri. Methiant yr Ymgyrch Ddatganoli oedd yr alanastra mwyaf un. Dwi'n cofio criw ohonom ni'n ista yn y Gunners, rhyw glwb yfad digon gwachul dros y bont yn Nhrefechan ar Fawrth y 1af, 1979 yn gwbod yn ein calonnau fod y frwydr wedi ei cholli. Ar ben bob dim, cafodd Thatcher fuddugoliaeth yn yr etholiad ym mis Mai. Wedyn, bu brwydr y Bedwaredd Sianel ac rydw i'n gwybod i Iwan gymryd rhan ymarferol ynddi. Anodd ydi egluro wrth bobol ifanc heddiw sut roedd pethau arnom ni yr adag honno yn union. Mae nofel *Tician Tician* John Rowlands wedi llwyddo i bortreadu rhyw gymaint o naws du y cyfnod yn ardderchog... y gwrth-Gymreictod moel a'r tyndra a oedd yn bodoli ar y pryd, yn enwedig mewn lle fel Aberystwyth. Dwi'n cofio mynd hefo Iwan i'r Neuadd Fawr i wrando ar Neil Kinnock y dadlau hefo Gwynfor a Geraint Howells yn erbyn mesur o ymreolaeth gweddol dila i Gymru. Ac wedyn, ar ben bob dim, roedd darlithydd fel Arwyn Watkins yn cymowta o gwmpas yr Hen Goleg...

Mae pawb ohonom ni yn ffrwyth ein cyfnod. Doedd neb yn fwy felly na Shakesperare ei hun. Does dim dwywaith yn fy meddwl i mai crochan ferw chwerw y cyfnod rydw i newydd sôn amdano berodd i Iwan ddatblygu i fod y math o fardd ag oedd o yn y diwedd. Motor ei ddicter – ac mae pawb sy'n dal ati i sgwennu tros gyfnod hir angen rhyw ias o ddicter, rhyw dân yn y bol, rhyw boen neu rhyw glwy - a'r cyfnod hwnnw yn Aberystwyth borthodd hynny i mewn i enaid Iwan, heb os nac oni bai. Ac wedyn, ei deithio ar hyd a lled Cymru a'r byd. A'r amryfal brofiadau a ddaeth iddo yn sgil y cwbwl. 'Far Rockaway' ydi'r gerdd allweddol i genhedlaeth fy mhlant i, y gerdd sy'n cyfateb i'r hyn roedd 'Hon' neu 'Y Llwynog' yn ystod fy mlynyddoedd i yn yr ysgol uwchradd. Bron na ddilynodd Iwan yn llythrennol yn ôl troed T. H. Parry-Williams trwy fynd ar daith hefo Twm Morys trwy wledydd De America. Dywedodd fod y profiad hwnnw wedi effeithio yn fawr arno fo, yn enwedig yr hyn a welodd yn ninas Rio de Janeirio...

Motor ei ddicter – ac mae pawb sy'n dal ati i sgwennu tros gyfnod hir angen rhyw ias o ddicter, rhyw dân yn y bol, rhyw boen neu rhyw glwy - a'r cyfnod hwnnw yn Aberystwyth borthodd hynny i mewn i enaid Iwan, heb os nac oni bai.

Wrth gofnodi hyn o atgofion rydw i wedi bod yn gwrando unwaith eto ar ei lais o. Ar CD o'r enw 'Y Canol Llonydd Distaw' gan Steve Eaves, mae o i'w glywed yn adrodd cerdd o eiddo Steve am 'Garej Lôn Glan Môr.' Ar yr wyneb, mae hi'n gerdd syml – hawdd iawn ei deall – ond wrth ail-wrando arni (...droeon fel rydw i wedi ei wneud tros yr wythnosau diwethaf...) mae rhywun yn dechrau rhyfeddu at gyfoeth ei chyfeiriadaeth. Plethir Bruce Springsteen, y Mabinogi, Ginsberg a Beibl William Morgan ynghyd, yn ogystal â throeon ymadrodd unigryw Steve ei hun, ei drosiadau ffresh a'i ffordd o o'i deud hi - ('... noson lasach na denim...') a'i allu hynod, hynod synhwyrus i hoelio delweddau yn gryf yn nychymyg y gwrandawr. Mae'r gerdd, sy'n cychwyn wrth ddisgrifio man a lle diriaethol iawn, erbyn ei diweddglo wedi mynd â ni i diroedd diarth, i ddyfalu a myfyrio am natur a dyheadau yr hunan - a'r hunan o fewn amser. Drama sydd yma am bererinion ar daith trwy oriau'r nos. Pererin ar daith fuo Iwan ond fod y daith honno wedi dod i ben, gwaetha'r modd, flynyddoedd lawer cyn y dylai.

Wiliam Owen Roberts

> *Mae'r gerdd, sy'n cychwyn wrth ddisgrifio man a lle diriaethol iawn, erbyn ei diweddglo wedi mynd â ni i diroedd diarth, i ddyfalu a myfyrio am natur a dyheadau yr hunan - a'r hunan o fewn amser.*

Ar ôl Eisteddfod ryfedd Glyn Ebwy

Ar ôl Eisteddfod ryfedd Glyn Ebwy, mi
ddywedodd rhywun wrtha' i ei bod hi
bellach yn bryd 'rhoi heddwch i lwch
Iwan Llwyd.' Mae'r traddodiad barddol
Cymraeg, o'r *Gododdin* ymlaen, yn
gwbwl groes i hynny!

Nid oes awr i dewi â sôn! – Ni allaf
    Dy ollwng o'm calon
  Mwy nag y gall olwynion
  Roi heddwch i lwch y lôn.

Twm Morys

Llai?

Roedd Steddfod Glyn Ebwy'n ardderchog. Ond er cynhesrwydd croeso'r Cymoedd, roedd dyn yn teimlo rhyw oerni a gwacter yn ei graidd wrth grwydro'r maes ac eistedd wrth y bar.

Roedd llai o'r angerdd yn yr ymryson. Llai o'r ysbryd a'r miri yn y gyfeddach. Dim Iwan. Dim o'r hen chwerthin a'r ymddiddan. *Dim o'r ysgwyd ym mêr yr esgyrn.*

Fy nghenhedlaeth i fydd yr olaf i deimlo'r hiraeth hwn, clywed y golled ar ôl Iwan. Mi aiff pob atgof amdano – ei lais yn gweiddi 'Smokin!', gafael tynn ei law, ei goflaid a'i hergwd – oll i'r bedd efo ni mewn trigain mlynedd.

Ydi beirdd – heb damaid o anfarwoldeb – *yn dod i ben?*

Dychmygwch. 2510 yw'r flwyddyn. Y cwbl sydd ar ôl o Iwan yw testun moel ei gerddi. Fedr hogyn ugain oed, a fydd yn ymdrwytho yn y cerddi ymhen pum canrif (bydd, mi fydd yna lanciau'n gwneud hynny'n union fel yr ydan ni'n mynd at y Cywyddwyr) gydio yn rhywfaint o Iwan? Drwy ei gerddi, a fydd hi'n bosib cael rhywfaint o'r adnabyddiaeth ohono a gawsom ni?

Bydd ei gerddi'n drysorfa i'r hanesydd: at 'Gwreichion' y try John Bwlchllan 2510 wrth geisio deall seici'r 1980au. Caiff Rhys ei eni drachefn a thrachefn pan fydd hi'n 1979 newydd ar y Cymry.

Gall yr academydd sylwi ar Iwan yn parhau â chonfensiynau'i draddodiad – yn canu cywydd i ofyn plu, ym cynnal ymddiddan â'i gyd-feirdd. Bydd tystiolaeth ar ôl o'r teithiau barddol yr aeth arnynt efo criw o feirdd: ailwampio'r hen deithiau clera i fynd â negeseuon heddiw at y bobl. Mae profiad Aneirin yr un mor agos ato â Geraint Jarman a Bob Dylan.

Gall darllenwyr hŷn 2510 ymdeimlo â phatrwm bywyd Iwan. Dyna'r llanc hyf, digywilydd sy'n dyheu am *weled diaconiaid y wlad fach hon i gyd yng nghelloedd plismyn Lloegr wedi cael llond bol o'r wîd.* Dyna Iwan yn dod yn dad wedyn, yn 'Mis Bach', ac yn rhyw hanner aeddfedu ac ystyried pethau wrth droi'r 'Hanner Cant'.

Caiff y darllenydd ddychmygu Bangor, *lle mae Safeway heno yn ddinas aur a'i muriau'n goch*, a throedio gydag Iwan ym mro'i

Iwan gyda thîm Morgannwg ym Mhabell Lên Caerdydd, 2008

gynefin: *dilyn y cregyn gwynion o Fangor Fawr yn Arfon i Aber*. Mynd gydag o drwy Gymru wedyn, i Gastell y Bere ac i Abergwesyn. Caiff ryfeddu at yr holl deithio rhyngwladol: mynd i dde'r Amerig gydag o – clywed am iaith lle mae 'caru' yn golygu 'pellter' – i wlad Pwyl a Barcelona ac Efrog Newydd.

Cânt hyd yn oed geisio dyfalu am wisg Iwan wrth ddarllen am y cotiau lledr a'r *het waith ar gorun teithiwr*.

Yn hyn oll, caiff darllenydd 2510 flas o Iwan – hwyrach y gall ei ddychmygu'n dyfynnu John Lennon yn daer: *a certain kind of innocence is measured out in miles...*

Gwelsom ei bod yn bosibl mapio bywyd Iwan drwy'i gerddi, y gall efrydwyr ymhen pum canrif fod yn weddol sicr am ei hynt a'r digwyddiadau a greodd y bardd. Ond adnabod Iwan? Fedr rhywun gydio yn hanfod cymeriad y dyn drwy ddarllen ei waith?

Roedd Iwan fel tân: weithiau'n mudlosgi ar ymyl stafell, yn gysglyd a chynnes; weithiau'n goelcerth, yn goleuo'r lle, yn tynnu pawb ato, yn belen o angerdd; ac weithiau roedd y tân yn ddinistriol.

Yn y trawiadau bychain y mae canfod Iwan, i'm tyb i. Fedr manylion am ei oes ddim rhoi gwell argraff o'r dyn na'r wefr a gâi *pan fo angylion yn hedfan heibio*. Wrth sgrifennu cywydd munud-olaf mewn ymryson yn Nant Gwynant yn ddiweddar, chwilio am drawiadau oedd Iwan. Mi ddôi'r ystyr wedyn. Ond mae llinellau fel *y gwely yn y gwaelod* yn magu arwyddocâd. Rhoddwyd y geiriau gyda'i gilydd am y sain; maen nhw'n atseinio yn llawer diweddarach na hynny.

Fedr rhaffu manylion am ryw daith ddim cystadlu â llinell fel *oglau petrol ar ôl glaw*. Bron nad ydi'r *lôn yn ein calonnau* mor ddiriaethol â Route 66. Roedd gan Iwan y ddawn brin honno i gael ei gyffroi gan y cyffredin, i deimlo angerdd unigryw: *y grym yw deilen grin a thrydan caeth y rhedyn – y gwenwyn yn y gwin.*

A ddaw efrydwr 2510 i sylweddoli na ellir crynhoi Iwan yn well na *gafael mewn llond llaw o berffeithrwydd, a hwnnw'n brifo?*

Chaiff y bobl fydd yn darllen cerddi Iwan yn 2510 ddim ysgwyd llaw na chyd-chwerthin ag o. Ond o durio ac ymdrwytho yn ei gerddi, ac ymdeimlo â dwyster y trawiadau bychain, syml yn ei waith, choelia i fyth na chânt adnabod peth o'r ing a'r angerdd hwnnw a oedd yn gynhysgaeth i Iwan.

Guto Dafydd

Gweiddi maent

Mae'r dyn bach o Fangor sy'n torri 'ngwallt
yn rhoi cip dros ei ysgwydd, yn gwrando am hydoedd,
yn diawlio'r distawrwydd, achos dydi o'm yn dallt
o ble daeth mudandod segur y strydoedd.
Mwya sydyn, medda fo, y gwagiodd y lle
er bod busnes i fyny fel yr oedd o o'r blaen.
Mae 'na bobol o gwmpas, ond does 'na neb yn 'dre –
absenoldeb ymhobman fel ogla draen.
Mae'n wag i minnau hefyd – dwi'n dal i daflu cip
wrth basio'r Fat Cat, yn chwilio am silwét
nad ydyw yno: yn amau, rhwng Old Glan a'r Ship
na welith Bangor golli'r lleder trwm a'r het.
'Dyn nhw'm yn gweld 'bod nhw'n gweld isio'r rafin.
Mae'r glaw yn dyrchafu drewdod y pafin.

Guto Dafydd

Dilyn camau'r cywyddwyr

Am amryw o resymau, roedd yr hen gywyddwyr yn agos iawn at galon Iwan. Rhan o'r apêl, saff o fod, oedd bod y beirdd yn teithio i bob rhan o Gymru wrth arfer eu crefft. Âi Guto'r Glyn – hoff gywyddwr Iwan – i glera i blasdy Llannerch yn Llannor; i Landdewi Rhydderch yng Ngwent; i abatai Ystrad Fflur, Maenan a Glyn y Groes; i Lannerch-y-medd ym Môn ac i bob rhan o Bowys a'r gororau, ac wrth gwrs roedd wedi bod yn filwr yn Ffrainc ar ben hynny:

> Clera Môn, cael aur a medd,
> Gynt a gawn, Gwent a Gwynedd.

Doedd teithio ddim yn waith hawdd yn y cyfnod hwnnw. Boddai beirdd ar eu crwydriadau. Roedd y ffyrdd yn hafnau o ddŵr; câi pontydd eu chwalu gan lifogydd; byddai eira yn y bylchau am ran helaeth o'r flwyddyn ac nid ar chwarae bach yr oedd mentro ar deithiau pell – yn arbennig yn ystod y gaeaf a'r gwanwyn, pan gynhelid y prif wyliau clera.

Roedd Iwan yn cyfeirio at rwystrau teithio yn aml hefyd – mae ganddo gerddi i Mansel Thomas a'i lorïau, i rowndabowts, i'r A470 a thrafferthion ceir.

Mi fu goresgyn anawsterau teithio yn rhan o brofiad criw *Syched am Sycharth* yn 2000. Ar wythnos gyntaf y daith roedd hi'n Derfysg Petrol gyda ffermwyr a lorïwyr yn gwarchae purfa olew Stanlow a chreu blocêds ar y priffyrdd drwy yrru yn ara deg. Sychodd y tanwydd yn y gorsafoedd petrol ac roedd llu o ddigwyddiadau yn cael eu gohirio. Ond mi lwyddwyd i gynnal pob noson o'r daith yr wythnos honno. Os oedd blocêd ar yr A55, roedd y beirdd yn medru teithio dros yr hen ffyrdd dros y Migneint a Mynydd Hiraethog. Roedden ni'n nabod perchnogion garejes gwledig oedd yn fodlon gwerthu dîsl o hen danciau rhydlyd rhyw hen oes a fu iddyn nhw. Roedd ganddon ni ein rhwydwaith a'n cysylltiadau a'n map ein hunain.

Felly oedd hi yn nyddiau Glyndŵr. Os oedd swyddog o Sais eisiau teithio o Gaernarfon i Gaerfyrddin, byddai'n cadw at y trefi a'r

Dydd Mercher, Megavissey
Annwyl bawb,
    O Gernyw
Ym Mhorth Iâ mae'r iaith o hyd –
                    yn eco'n
    llawn triciau'n dychwelyd
    i edliw yn dywodlyd
    drai y bae ym mhen drawir byd.

A meddyliau cyffelyb. Am lan y
môr heddiw, i gadw Rhiannon yn
hapus.   Cofion Cernywaidd

Alfred Wallis
Houses, St Ives
undated
oil on board
Private collection

        Iwan, Nêa
            a Rhiannon x

5 - Venezia, Palazzo Ducale

Ciao o Venezia,
    A Hywydd Haul a Hywod –
                fr a rwydd
    o'r awr sy' ar ddyfod,
    mewn hen dre' ym mhen drawi'r
                        rhod
    y gwelais Gantre'r Gwaelod
        Cofion,
        Iwan, Nêa a Rhiannon
                    x x

Foto di Paolo Busato

bwrdeistrefi gan fynd drwy Ruddlan a Chaer a Henffordd. Roedd y
daith o Lynllifon i Lyn-nedd yn wahanol iawn i fardd o Gymro – dros
y bryniau a thrwy'r bylchau unig yr âi o, gan ddisgyn yn ddirybudd ar
ambell dyddyn neu blasdy a chael croeso traddodiadol.

Roedd golau ym mhen draw pob cwm
i'r bardd, a'r llwybrau'n batrwm:
roedd ei fap ar gefn ei law ac yn ei gynghanedd,
a de a gogledd cyn agosed

â'r odlau a glymai ei linellau...

Mae llwybrau beirdd wedi creu gwledydd – wedi eu canu i
fodolaeth ar sawl cyfandir. Drwy ffeirio geiriau a chwmnïaeth a
syniadau a straeon, mae cryfder un ardal yn ei fenthyg ei hun i ardal
arall a'r rhubanau'n tynhau. Drwy Steddfodau Glyn-nedd, Cwm

Efo Iwan ar faes Eisteddfod Cwm Rhymni

Rhymni a Glyn Ebwy yr ydw i wedi dod i nabod mwy ar y Cymoedd; drwy dripiau rygbi Nant Conwy i Ddowlais, Banwen, Glyncorrwg; drwy deithiau yng nghwmni ffrindiau ac aros yn nhafarn y Bertie yn Nhrehafod – lle roedd pawb oedd isio yn cael smocio wrth y bar ar sesh hwyr (*'If we break one law, we might as well break 'em all, see.'*); drwy ymweld â phlant ysgolion y Cymoedd, trafod cerddi efo'r bobol ifanc a chynnal nosweithiau mewn tafarnau a chlybiau. Mae angen cochi'r llwybrau, cadw'r ddolen yn fyw yn y ffyrdd yma er mwyn eu ceseilio nhw yn dynnach at ein broydd ni a hefyd gadael i'w hyder a'u hwyl nhw ein hysbrydoli ninnau.

Oes mae angen gwell ffyrdd rhwng de a gogledd – ond nid yn unig er mwyn inni fedru wibio yn gynt i siopa yn John Lewis, Caerdydd!

Yn Eisteddfod Glyn Ebwy, mi gawsom sgyrsiau sy'n aros yn y co:

'You from up North are you? Is it cold there?'

'We've got friends up North – Wrexham, like. Never been to see them mind – too far. No we see them on our annual 'olidays in Thailand.'

Ond roedd amgueddfa'r Pwll Mawr yn brofiad o sut mae y mae hiwmor – hiwmor du iawn weithiau – yn medru cynnal cymdeithas dan warchae a'i galluogi i oroesi.

Mi wisgai un o'r plant fflip-fflops brau am ei draed. *'Nice to see you modelling the latest safety footwear,'* oedd sylw'r glöwr oedd yn ein tywys dan ddaear. *'If you see any rats – don't you go and kick them. Only joking – there aren't any rats now. They've been eaten by the big mice.'*

Ac adrodd stori chwedlonol am griw o Americanwyr yn yr amgueddfa.

'Each gang of butties 'ad an 'orse to pull the coal dram, see, and after the shift they were tied and fed by 'ere...' Ac un o'r Americanwyr yn gofyn, *'Would that be a Norse as in a Viking?'*

Yn y Nag's Head yn Nhafarnau-bach wrth y maes carafanau, roedd Dewi Pws ac Emyr Wyn yn arwain y steddfotwyr a'r bobl leol i gydganu emynau a chaneuon Glan-llyn ac yn cael yr hwyl ryfeddaf wrth gael pawb i fynd i fyny ac i lawr i 'Hen Feic Peni Ffardding fy Nhaid'.

Mae'r rhoi a'r rhannu yn gweithio ddwy ffordd. Do, mi gafodd Glyn Ebwy flas ar y Gymraeg ac awydd mawr i ddod yn nes at ei chymdeithas hi, ond mi gawsom ninnau hefyd gip ar hanes y cwm. Mi fyddai'n well i bob teulu fynd am ddiwrnod i'r Pwll Mawr yn hytrach nag i bwll nofio bob hyn a hyn. Mi fasan werth inni hefyd gydio balchder Brynmawr wrth agor ysgol Gymraeg newydd Bro Helyg i dri chant o blant ym Medi 2010 wrth y bygythiad i gau cartrefi'r Gymraeg yng nghefn gwlad. Mi fasan nhw'n dallt. Pe bai eu cryfder nhw yn ymuno efo'n cryfder ninnau mi fyddai gennym ni genedl anorchfygol. Mae dŵr sy'n aros yn byllau o fewn ei lannau ei hun yn mynd i ddrewi yn fuan.

Roeddwn yng nghwmni Iwan yn gyson yn ystod yr Eisteddfod yng Nglyn Ebwy, wrth fod yn rhan o'r profiadau hyn. Mi wn beth fyddai ei adwaith o wedi bod i'r ŵyl honno. Wrth droi cefn ar y Steddfod am flwyddyn arall, dyma ganu'r cywydd hwn ar gyfer y daith oedd ar y gweill.

Llwybrau'r dŵr

y daith o Eisteddfod Glyn Ebwy

Lle gwlyb yn llawn pyllau glaw
yw dolydd mwdlyd Alaw.
Mae mignedd y Carneddi
'n ddi-naid yn ein ffosydd ni
a sawr hen lysnafedd sydd
ym mrwyn piblyd Meirionnydd.

Gwaeledd gwythiennau'r galon
sydd ym mawn a chorsydd Môn
a dof ei frwyn a di-frys
yw llyn dŵr Coed Llwyndyrys.
Mae ynom ryw sug tomen,
tagwr nant â'i groen yn hen
yn y cwm; mae'r ffrwd yn cau
rhedeg; di-gân yw'r rhydau…

…fel y pwdel ar frig pwll.
Cawodydd yn y ceudwll
yn llyn o ddyfnder llonydd,
blodyn du'n llygad y dydd,
dagrau dan argae'r hen waith
a'u siom heb fflysho ymaith.

Lle mae'r gaib a lle mae'r gerdd
a'r giang a'r môr o gyngerdd?
Pam na chlywaf y nafis
o dop y rhiw'n trafod pris
agor hafn â'r lli yn gry
a'i hwyneb yn llawn canu
o gwm i gwm? – nes bod Gwy
yn obaith yng Nglyn Ebwy,
Menai'n nŵr Rhymni a Nedd
a Mynwy'n llam i Wynedd.

Myrddin ap Dafydd

Wncwl Lyn a Ginsberg

Mae hi'n hanner awr wedi wyth ar nos Iau lawog a blin ym mis Chwefror. Does gen i fawr o fynadd codi allan mewn gwirionedd. Llai fyth o fynadd mynd i'r afael â'r tasgau sydd wedi bod yn ymbil yn ofer am sylw ers pythefnos a mwy. Dydy hi ddim yn amser da i farddoni. I'r talyrnwr achlysurol, dydy hi byth yn amser da i farddoni.

Ond mae 'na rym sy'n drech nag ewyllys yn fy nhynnu o'r gadair freichiau a heibio'r toeau llaith a'r lampau melyn i lawr y Lôn Dywyll. Drwy'r coed, mae'r gwreichion goleuadau ar Bont y Borth yn fy nhywys â'u haddewid. Rwy'n agor drws yr Antelôp, a chyn i'm llygaid ddechrau cynefino gyda'r golau fflwrolesant, mae 'na chwerthiniad cyfarwydd yn torri ar fy nghlyw. Draw ar ei stôl, yn ei siaced ledar a'i sgidiau cowboi, dacw fo'r bardd yn rowlio chwerthin, a'i ebychiadau harti yn atalnodi perfformiad y cyfarwydd, John Ogwen. Mae'n agor ei freichiau ar led i'm croesawu i'r seiat ac yn amneidio ar ei Wncwl Lyn – brawd ei fam a chyd-aelod o dîm Talwrn Penrhosgarnedd – i godi rownd. Gwin gwyn o Chile i'r nai. Mae'r ddau yn cyfnewid yr un winc ddireidus.

> *Draw ar ei stôl, yn ei siaced ledar a'i sgidiau cowboi, dacw fo'r bardd yn rowlio chwerthin, a'i ebychiadau harti yn atalnodi perfformiad y cyfarwydd, John Ogwen.*

Y timau'n ymryson yn y Bala

Mae o'n ei hwyliau heno, yn *smokin'* chwedl yntau. Roedd o a'r *kids* yn Amgueddfa Lechi Llanberis heddiw wedi tiwnio i'r un donfedd, ac roedd caban y chwarelwyr eto'n fyw gan ynni syniadau a geiriau yn bowndio rhwng y waliau. Mae o'n adrodd y penillion telyn a weithiwyd gan y plant gyda'r un arddeliad ag y mae'n dyfynnu llinell Lennon i'w canlyn: 'some kind of innocence is measured out in years'. Mae geiriau'n cyfrif iddo – yn cyfrif llawer iawn mwy na'u nifer.

Mae'r sgwrs yn dirwyn yn chwim drwy Geinewydd i New Jersey ac yn ôl. O'r gambo i'r chevrolet, mae Dewi Emrys a Bruce Springsteen yn gymdeithion diddig. Mae Parry Bach a Little Richard, Gwenallt a Ginsberg hwythau oll yn llawiau yn ei eglwys lydan. Ydy, mae cyfeirlyfr diwylliannol hwn yn hollgynhwysol, ond mae'n mynnu darllen y cyfan bob amser trwy wydrau cwbl Gymreig.

Yn sydyn, mae o'n troi ei olygon at y teledu yn y gornel sy'n darlledu'i drallodion drwy furmur y bar. Mae o'n tawelu drwyddo, yn rhythu'n hir, cyn rhegi'n groch y camwedd sy'n cael ei ddelweddu ar y sgrin. Mae pennau'n troi, ond nid ceisio sylw y mae – dyma foi sy'n teimlo anghyfiawnder i'r byw; yn wir, mae o'n teimlo popeth i'r byw.

Gyda hynny, mae'n estyn y llyfr bach du chwedlonol o'i boced. Rhwng ei gloriau treuliedig, mae'r tudalennau llwythog yn tystio nad cwblhau tasgau yw barddoniaeth i hwn, ond ffordd gyfan o fyw. Mae'r eiliadau'n

Jan Morris ac Iwan ar daith lenyddol ar fws

sillafau, yr oriau'n llinellau a'r dyddiau'n ddelweddau. O ganol y myrdd sgribliadau, mae o'n tynnu cywydd cwbl orffenedig sy'n mynd ag anadl ei gynulleidfa o dri. Prin fod y gynghanedd i'w chlywed. Mae hi'n gerbyd esmwyth sy'n cludo baich y delweddau ac awgrymusedd y geiriau yn ddiymdrech i ben eu taith. Mae o'n aros ymateb. Dydy distawrwydd cegrwth ddim yn ddigon iddo. Mae o angen sicrwydd geiriau. Mae gormod o lwch talyrnau ac ymrysonfeydd y gorffennol ar ei ddillad i allu cymryd dim yn ganiataol.

Mae'n troi ataf ac yn troi at dafodiaith ei fam "Dere ag englyn neu ddou". Gan deimlo'n annigonol, rwy'n cynnig un trawiad cynganeddol yn offrwm tila i'r pair. Rwy'n ei wylio'n troi'r trawiad yn ei feddwl ac yn ei blethu â syniad y mae wedi bod yn aros i'w ddatblygu. Gymal wrth gymal, awgrym wrth awgrym, mae'n consurio englyn o ddim, a minnau'n cofnodi'n awchus. Mae'n gofyn i mi ei ddarllen yn uchel ac yn nodio'n ddoeth wrth wrando. Yna, gan ddyrnu'r awyr, mae o'n neidio ar ei draed yn ddisymwth a datgan yn fuddugoliaethus 'It's a 10!'

Ar y ffordd i'r lle chwech, mae'n tynnu sgwrs ag un o hogiau'r bar. Dyn pobol ydy hwn ac nid dyn rhai pobol, ac os oes modd olrhain rhyw gysylltiad neu'i gilydd â Môn ei dad neu Geredigion ei fam, yna gorau oll. Mae'r ddau yn cyfnewid y naill sylw ffraeth am y llall. Rhwng y geiriau gwamal, mae hedyn syniad arall yn cael ei blannu. Fe ddaw cyfle yn solas y bore i'w fedi'n delyneg newydd.

Gyda'r llyfr bach du yn ôl ym mhoced cesail y siaced, mae hi'n bryd troi tua thre'. Yn ei gysgod, rwy'n ei ddilyn drwy ddrws yr Antelôp. Wrth gydio yn yr arian mân sy'n weddill ym mhoced fy jîns rwy'n cydio'n dynnach yn yr oriau a hedfanodd heibio. Yn ddiarwybod bron, mae'r profiad wedi'i fancio'n ddiogel yn y cof, yn waddol i'r dyfodol.

O dir llwyd y maes parcio, rhwng gwyll a gwawr, mae llwybrau'n agor a gwahanu. Gydag un chwerthiniad olaf o waelod ei fol ac addewid taer am seiat fuan, mae Iwan yn diflannu mewn tacsi i'r tywyllwch.

Llion Jones

I'r Eglwys Lydan

Yn ystod tymor y Talwrn, byddai tîm Penrhosgarnedd (wel, yr aelodau lleiaf parchedig beth bynnag), yn cyfarfod yn Nhafarn yr Antelôp gyda'r bwriad o weithio ar eu cynhyrchion. Fel seiadau y byddai Iwan yn cyfeirio at y cyfarfodydd hyn, ac wrth edrych yn ôl, seiadau oedden nhw hefyd. I'r rhai hynny sy'n anghyfarwydd â daearyddiaeth ddyrys Bangor a'r cyffiniau, mae Tafarn yr Antelôp ar y tir mawr gerllaw Pont y Borth, ac o fewn pellter cerdded gweddol hwylus (lawr y Lôn Dywyll) o Benrhosgarnedd ei hun.

Rwy'n agor drws yr Antelôp, a chyn i'm llygaid ddechrau cynefino gyda'r golau fflwrolesant, mae 'na chwerthiniad cyfarwydd yn torri ar fy nghlyw.

Gam wrth gam â'm cefn i'r gwyll
y deuwn o'r lôn dywyll
tua'r wefr oedd rownd y tro,
golau aur yn disgleirio
ar y bont oedd trothwy'r byd
a hawliai fy nychwelyd.

Ac i'r seiat groesawus
yr awn i ateb yr wŷs,
roedd chwarddiad braf aflafar
a geiriau bardd ger y bar
yn agor uwchlaw tro'r trai
Nirfana ar lannau'r Fenai.

Deuai mewn drwy'i siarad mân
aelodau'i eglwys lydan,
arwyr bro ac adar brith
a'u hundod yn dwyn bendith,
mynnai gael cyd-gymuno
â'u doniau taer dan un to.
Roedd i Jarman a Ianws,
Iolo, Brecht, Bala a Bruce
eu sêt yn yr eglwys hon
a glaniai Ginsberg, Lennon
a Bob gyda Parry Bach
i gynnal cwrdd amgenach.

Droeon, fel meibion y mans,
ymbiliem am y balans
rhwng celloedd y gwerthoedd gwâr
a direidi yr adar,
rhwng seintwar ac embaras
y teid i miwn a'r teid mas.

O'i boced deuai wedyn
y llyfr du, lleufer y dyn;
o'i olud gwâr lediai'i gân
ag afiaith oedd yn gyfan,
roedd enaid ei farddoniaeth
yn llamu o'r canu caeth.

Yn awr â'r tacsi'n aros
i arwain un draw i'r nos,
gam wrth gam trof innau i'r gwyll
yn dawel... Mae'r lôn dywyll
yn loyw, mi glywai'i Iwan
ar ei siwrnai gyda'i gân.

Llion Jones

Gŵr ifanc yw Tjuringa

'Gŵr ifanc yw Tjuringa' meddai llais Huw Llywelyn Davies wrth sylwebu ar seremoni coroni Eisteddfod Cwm Rhymni 1990, gan gyfeirio at ffugenw'r bardd buddugol.

Iwan Llwyd oedd y gŵr ifanc hwnnw. Profiad rhyfedd, yn gymysgedd o falchder a hiraeth, oedd cael gweld a chlywed clipiau o'r seremoni honno eto y llynedd, yn ystod cyfarfodydd coffa i Iwan ar hyd a lled Cymru.

Roedd y balchder yn adlais o'r hyn oedd i'w deimlo ar y diwrnod hwnnw ym Mis Awst 1990. Roeddwn wedi bod yn gyfaill i Iwan ers dros ddeng mlynedd. Wedi tair blynedd gymharol ddiawen yn Lloegr, roedd cael mynd i Aberystwyth a chael cwmni cyfoedion fel Iwan yn ddadeni i mi. Dyma gyfeillion oedd nid yn unig yn ymddiddori mewn llenyddiaeth Gymraeg, roeddent yn ei chreu, a hynny mewn awyrgylch lle nad oedd cenfigen, ond cydymdrechu.

Iwan, Owain, Emyr a Dyfan ym mhentref Brythonig Dinllugwy

Roedd Iwan yn fardd, doedd dim amau hynny. Ac mi roedd yn falch o hynny. Ni pherthynai iddo'r duedd i fod yn ddiymhongar am y ffaith hon, yr alwedigaeth hon. Cyhoeddai hynny'n llafar, a thaerai hynny hefyd am y rhai a gadwai gwmni iddo: ''Dan ni'n feirdd' byddai ei sylw ar bob math o achlysuron. Cofiaf yn dda y tro y cyfeiriwyd ato gan ryw lythyrwr blin yn *Y Cymro* fel 'honedig brifardd'. 'Dwi yn brifardd,' meddai, yr un mor flin, os nad yn fwy blin, 'Mae gen i goron i brofi hynny'. Ystyriai ei hun a'i waith i fod yn llinach beirdd Cymru ers canrifoedd, ac i fod yng nghwmni beirdd cyfoes lededd y byd.

Felly roedd balchder yng nghamp Iwan fel cyfaill ac ysbrydolwr yn naturiol. Ond roedd rheswm arall dros falchder y diwrnod hwnnw, sef y cerddi a enillodd y goron iddo. Cyn gwybod pwy oedd y bardd buddugol, wrth wrando ar feirniadaeth feistrolgar Alan Llwyd, roeddwn yn gwybod bod rhywbeth syfrdanol wedi digwydd.

Cyn coroni Iwan, gellid dadlau bod cywair barddoniaeth Eisteddfodol wedi bod yn gymharol besimistaidd, â delweddau o afiechyd a marwolaeth yn adleisio pryder am ddyfodol yr iaith Gymraeg a'i chymunedau. Torrodd cerddi Iwan y mowld hwnnw. Er eu bod yn sôn am farwolaeth, ac yn cymryd fel eu man cychwyn isafbwynt hanes diweddar Cymru, sef refferendwm 1979, delwedd ganolog y cerddi yw geni a thwf plentyn. Neges cerddi Iwan yw bod gobaith i'r iaith tra bo bywyd, a bod dadeni'n bosibl. Wrth edrych nôl, gallwn weld pa mor broffwydol oedd hynny.

Yn ogystal ag ailbrofi'r balchder hwnnw, daeth balchder arall o weld a chlywed y seremoni drachefn yn 2010. Balchder oedd hwnnw o fod wedi cael nabod Iwan a bod yn gyfaill iddo.

Yn gymysg â'r balchder roedd hiraeth. Does dim angen egluro'r hiraeth, dim ond crybwyll bod y cyfarfodydd rhyngof ac Iwan wedi mynd yn llai mynych dros y blynyddoedd, fel y bydd hi rhwng pobl sy'n byw mewn llefydd gwahanol, ac yn dilyn llwybrau gwahanol. Cael cwrdd fel dau deulu nawr ac yn y man, a chael croeso bendigedig ganddo yntau, Nia a Rhiannon Llwyd yn Nhai Newyddion; ambell ddarlleniad neu gyngerdd neu lansiad fan yma, ambell baned neu beint fan draw; ambell alwad ffôn ganol nos neu

yn yr oriau mân i ddathlu rhyw ddigwyddiad o bwys (refferendwm 1997, curo Lloegr mewn rygbi); englyn ar gerdyn Dolig o Dal-y-bont neu ar gerdyn post o ben draw'r byd.

Byddem yn sicr o gwrdd, fodd bynnag, yn yr Eisteddfod. Ac roedd hon yn addewid flynyddol, ond nid llynedd. Torrwyd yr addewid:

Torri amod tro yma, Iwan bach
    rhown y byd a'i betha
  myn duw am dy gwmni da:
  yr angen am Tjuringa.

Ond a'r Eisteddfod llynedd ym Mlaenau Gwent, a noson goffa wedi ei threfnu ar Barc Bryn Bach, sef lleoliad coroni Iwan ugain mlynedd ynghynt, doedd dim modd ei gadael hi fan'na. Fyddai Iwan Llwyd fyth wedi cydnabod ymateb mor sentimental. Roedd angen i falchder ddiorseddu hiraeth:

Blaenau Gwent yw maes blin gwrdd,
blin goffa beirdd, blin gyffwrdd,
dan ysgwyd llaw yn dawel,
deud 'Su' mae, ffrindiau?, 'Ffarwèl.'
Ysgwyd llaw: 'Sut mae'r awen?'
Ysgwyd llaw, ond sigwyd llên.

Blaenau Gwent, lle blin o'i go;
be wnawn heb Iwan yno?
Rhuo i'r nos ein dicter ni,
rhwygo'r awyr â'n rhegi,
hau mellt a medi melltith
heb chwerthin ein brenin brith?

Na, gwell yw troi at ein gwaith
na galar a rheg eilwaith:
dod ynghyd, ymdynghedu
"Dan ni'n feirdd!' Dyna a fu.
Od yw bywyd heb Iwan
ym Mlaenau Gwent. 'Mlaen â'i gân!

Emyr Lewis

Ar y lôn efo Iwan

Dwi'n credu mai darllen ei gyfrol *Dan Anesthetig* roddodd i mi'r syniad o wneud rhaglen deledu efo Iwan Llwyd. Roedd o'n amlwg yn fardd oedd yn mwynhau cydweithio efo pobol greadigol eraill boed nhw'n arlunwyr neu'n ffotograffwyr. Roedd ei gynfas yn un eang ac, fel minnau, roedd o'n ymddiddori mewn agweddau cyffrous o'r diwylliant Americanaidd. Doedd ei ysbrydoliaeth o ddim wedi'i danio wrth weld ceiliog ffesant ar dir y Penrhyn neu lwynog uwchben Llanllechid.

Nôl yn '94, cyn i'r ffrwydiad o gannoedd o sianeli daro'r sgrin gan orfodi S4C i gystadlu am wylwyr, roedd yna groeso i syniadau mentrus a chytunwyd y byddai mynd ar daith ar draws America efo Iwan Llwyd yn arbrawf diddorol. Apêl ychwanegol i'r sianel oedd y byddai hon yn gyfres rad i'w chynhyrchu gan na fyddai yna griw ffilmio confensiynol – y fi fyddai'n gwneud y gwaith camera. Bryd hynny roedd technoleg fideo yn ei fabandod. Doedd y fformat dv a'i luniau clir ddim wedi cyrraedd ac roedd y camerau Beta SP yn ddrud ac yn llawer rhy drwsgl i'r syniad dan sylw. Fy mwriad i oedd defnyddio camera Hi8 oedd yn llawer llai a rhatach er mwyn teithio'n gyflym heb dynnu sylw at ein hunain – a heb visas ffilmio. Cyn 9/11 roedd hyn yn hollol bosib yn America.

Roedd gen i ryw syniad Kerouacaidd o Iwan yn ffawd heglu ar draws America gan gwrdd â phob math o gymeriadau lliwgar ar y ffordd, ond nid yn hollol felly y bu. Mae bod oddi cartref mewn gwlad estron yn rhoi adnabyddiaeth dda i chi o'ch cyd-deithiwr ac felly y des i i adnabod Iwan a deall y broses greadigol o lunio'i gerddi. Y peth cyntaf a'm trawodd amdano oedd ei swildod efo dieithriaid. Doedd o ddim yn un am daro sgwrs efo hwn a'r llall, rhywbeth sy'n angenrheidiol wrth wneud rhaglen daith. Doedd hyder Michael Palin neu Bruce Parry ddim gan Iwan a dwi'n credu mai dyma pam roedd o'n troi at y botel. Mae gen i gof da o glywed yr alwad olaf i hedfan o Atlanta ac Iwan yn dal yn y bar. Hwyrach y dyliwn i fod wedi gofyn i gwmni Budweiser am nawdd i'r rhaglen.

Roedd Nashville, cartref canu gwlad, yn un o'r trefi cyntaf i ni ei chyrraedd a blaenoriaeth Iwan oedd cael pâr o sgidia a het gowboi. Fel minnau, dwi'n siŵr fod 'siwt gowboi' yn uchel ar ei restr dymuniad i Siôn Corn pan yn blentyn. Oedd, roedd Americaniaeth wedi cydio ynom ni'n gynnar, meibion y Mans ai peidio. Wedi cael y cyfryw rigowt gallai gamu'n fwy hyderus i fyd ei arwyr Bob Dylan a Bruce Springsteen. Ac yntau'n wybodus am Leonard Cohen ac felly reit siŵr ei gân Tower of Song, fe'm synwyd yn Nashville na wyddai Iwan am Hank Williams. Hwyrach y byddai tranc y canwr gwlad trasig hwnnw wedi bod yn wers i'r bardd o Gymro.

Dwi ddim yn credu i mi weld yr un gerdd orffenedig gan Iwan yn ystod ein teithiau. Gwneud nodiadau y bydda fo mewn rhyw lyfr bach du fel llyfr plisman erstalwm. Anaml y byddwn i, nac yntau mae'n debyg, yn gwybod ar y pryd sut un fyddai'r gerdd orffenedig oherwydd mai yn nhawelwch ei gartref yn Nhal-y-bont y byddai'n caboli'r cerddi, ymhell o ddwndwr yr

Amtrak, playback, Burgerbars a Big-Mac
Freeway boardwalk, Broadway Don't Walk

Y pethau bychain yn aml fyddai wedi dal ei sylw wrth deithio ond fydda fo byth yn dweud wrtha i ar y pryd beth oedd wedi mynd â'i fryd. Hwyrach mai wedyn y byddai'r syniad yn dod iddo. Enghraifft o hyn ydi'r rhybudd ar ddrych ôl ceir Americanaidd, *Objects in mirror*

are closer than they appear neu enw'r stesion drên Far Rockaway. Dwi ddim yn credu i ni gyrraedd y stesion honno ond roedd gweld yr enw yn ddigon i ysbrydoli un o'i gerddi mwyaf cofiadwy Far Rockaway a daeth gorsaf ar y Long Island Rail Road yn orsaf y meddwl i Iwan.

Yn New Orleans y daeth yr ysbrydoliaeth i'w gerdd Dinasoedd y meirw ac mae cefndir y gerdd honno'n rhoi syniad sut y byddem ni'n cydweithio. Ar y ffordd o'r maes awyr fe welsom ni fynwent anhygoel gyda'r beddau'n ymddangos yn uwch na'r cyffredin. Y rheswm am hynny, yn ôl ein gyrrwr tacsi, oedd i gadw'r meirwon uwchben dŵr y Mississippi pe bai'r afon yn gorlifo. Gan fod ymarfer Voodoo yn rhan o draddodiad yr ardal, cawsom gyngor i beidio ymweld a'r fynwent ond fe aethom ni beth bynnag. Roedd yna un beddrod mawr a thrawiadol ac fe ffilmiais i Iwan wrthi. Roedd yna rywbeth rhyfedd a chyfarwydd ynglyn â'r gofeb honno. Ymhen misoedd wedyn, a thrwy edrych eto ar y ffilm y sylweddolais mai yn yr union fan lle ffilmiais i Iwan y ffilmiwyd yr olygfa LSD yn Easy Rider. Roedd y lle hwnnw wedi taro cloch yn ein isymwybod cymaint oeddan ni dan ddylanwad y diwylliant grymus yma. A dyna pam y

dewiswyd *Dan Ddylanwad* yn deitl i'r gyfres deledu a chyfrol Iwan.

Mae *Dan Ddylanwad* yn cynnwys hefyd y cerddi sgwennodd Iwan fel rhan o'n hail gyfres, sef 'Dan Draed'. Syniad Iwan oedd y daith yma gyda'r bwriad o chwilio am bethau diarffordd yng Nghymru. Y tro hwn doeddan ni ddim ar y lôn am gyfnod hir efo'n gilydd ond yn teithio o'n cartrefi i leoliad y ffilmio. Byddai yna fwy o drafod ar y syniadau hynny gan ein bod ni'n gwybod beth oedd yn ein disgwyl dros y gorwel. Nid felly fodd bynnag pan ges i'r syniad gwallgof o fynd ag o ynghyd â'i fêt Twm Morys i chwilio am Eldorado.

Chwech o wledydd De America mewn chwe wythnos oedd ein siwrnai a'r tro yma roedd deinameg y cynhyrchiad wedi newid gan mai dau gyfaill barddol tra gwahanol oedd yn teithio. Yng nghwmni Twm, roedd Iwan wrth ei fodd ar y daith ac fe wn i fod y bererindod honno wedi bod yn un bwysig iddo gan ei fod, ychydig cyn ei farwolaeth, wedi bod yn ail wylio'r rhaglenni. Symud yn gyflym a chroesi ffiniau gwledydd oedd yn gwbl ddiethr i ni; ffilmio heb unrhyw ganiatad na visa efo'r camera dv bychan newydd oedd yn tynnu lluniau gwych o bob math o barêds lliwgar a phobol ddiddorol – sut y cyrhaeddon ni ben ein taith efo chwe rhaglen d'wn i ddim.

Yn Rio de Janeiro, bu'r beirdd yn chwarae pêl-droed efo coconut ar draeth Cococabana am ddau o'r gloch y bore. Yng nghyffro'r gêm fe gollodd Iwan ei lyfr bach du efo'i holl nodiadau sef deunydd crai ei

gerddi. Treuliwyd y bore trannoeth yn chwilota yn ofer am y llyfr.

Os oedd y teithio'n anodd ar brydiau a thensiynau'n codi, 'chlywais i erioed air cas gan Iwan, dim ond ei addfwynder arferol ac os bu bron i ni fethu hedfan o La Paz am fod y Prifardd yn rhy feddw i symud, dwi wedi maddau iddo. Am ryw reswm bizarre dyw'r gyfrol *Eldorado* o gerddi'r daith ddim yn rhoi enw'r cyfansoddwr wrth y cerddi ond fe ŵyr y cyfarwydd pwy sgwennodd be.

Y tro diwethaf y gwelais i Iwan oedd ar y stryd ym Mangor rhyw flwyddyn cyn ei farwolaeth. Soniais wrtho am syniad oedd gen i am daith ac roedd o'n ysu am gael mynd. Ofer fyddai bod wedi cynnig y syniad i S4C bryd hynny. Roedd yr hinsawdd wedi newid ac roedd y dyddiau freewheeling ar ben. Term a ddefnyddiodd Meic Stephens yn ei erthygl goffa i ddisgrifio rhai o gerddi Iwan a theitl albwm ei arwr mawr Bob Dylan.

Mae ail-ddarllen y cerddi taith ar gyfer y llith yma wedi bod yn brofiad trist, yn union fel edrych trwy albwm o hen luniau lle mae profiadau a chwmni da wedi eu fferu am byth. Mae wedi mynd â fi'n ôl ar y trên i Far Rockaway.

Michael Bayley Hughes

Dydd Sadwrn   ger Corc.
Annwyl amigos,
Ar ein ffordd o'n bwthyn yn Kerry
i'n bwthyn yn Corc! Dyma ryw
englyn yn cymhorth y sefyllfa:

Mwy o Saeson na Chonwy, a mynydd
   o Almaenwyr melynwy,
a'u hacenion hestron hwy
'n lledieth anneolladwy.

     Hwyl am y tro,
       Iwan, Nia a Rhiannon
         x

IRELAND: The unique beauty of Ireland's landscape and its
rich historic, literary and artistic associations have long made it
a favourite resort of tourists. Encompassing a wealth of natural
beauty within its modest dimensions, Ireland boasts a landscape
which is as much diverse as it is gratifying. The scenic grandeur
is set off by Ireland's position. Standing in the path of both the
prevailing westerly winds of the Atlantic and the warming
currents of the Gulf Stream, Ireland enjoys an equable climate
which gives the country its unique fresh appearance. *Reproduced
from original posters which are available from: Studio 23, Fumbally
Lane, Dublin 8.*

Cofion o bell!

Â lleuad lawn fel grawnwin
       - yn aeddfed,
   mae noddfa i bererin
eto, ac Affrodeiti
'n ~~rhoi ei gwên~~ (ILW)
aur ei gwallt wrth dallti'r gwin.
     Kalimera!

     Iwan, Nia a Rhiannon x

Twm, Sioned
Coetsiws,
Trefan...
Llanystumdwy
Cricieth,
Gwynedd,
U.K.

PAFOS AGIA KYRIAKI

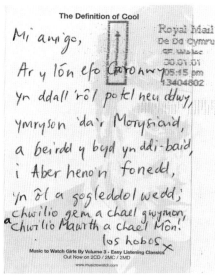

Quimperlé   CITÉ MÉDIÉVALE

PORT-GRIMAUD (Var)
Cité lacustre construite par l'architecte
François SPOERRY de 1966 à 1991

Que pasa?

Wedi i'r heulwen roi ochenaid
— olaf
a throi'r hel i'n llymaid,
daeth y traeth lle tyrrai'r haid
yn dlau gan wenoliaid.
Cofion at Jan yng nghanol
dathliadau '53.
Welwn ni chi toc,
Adios,
Iwan. Nia a

8390000294

Quimperlé 29300 FINISTÈRE
L'église Sainte-Croix
The church of Sainte-Croix
Die Kirche Sainte-Croix

Annwyl bawb,
Mor anodd yw bywyd
bardd. Gorfod eistedd ar
lan afon Belon yn yr
haul yn bwyta wystrys
ac yfed Muscadet efo
ffrindiau difyr. Ond dyna
fo. Medraf edrych mlaen
i ddychwelyd i Gymry
fory. Y glaw. Y cwrw
cynnes... Kenavo
Iwan x

3 660081 0000

Port-Grimaud

Nadolig 1996

Un lôn fuir dan inni – ar y daith
drwy dir diarth 'leni,
adre'n ôl, wedi'r geni,
'n ddall hyd lôn arall awn ni.

A helo mawr gan Rhiannon
o droed Slieve League
ym Nonegal.
Galw Enwau
Mae Adda Newid Meddwl –
                    a Robin,
a Threbor Creu Trwbwl,
hyd yn oed Twm Dan Gwmwl,
Mae enw pawb ym Mhenmaenpŵl.
            Don Bangor
            28.5.99

GEORGE III HOTEL
PENMAENPOOL, DOLGELLAU, WALES
Telephone: (0341) 422525
DONDE ESTE ELAORADO?   XX

PRINTERS & PUBLISHERS BOULDENS Southampton Tel: (0329) 45666

D'Ignazio's
Towne House
A Dining Tradition in the Delaware Valley Since 195
117 Veterans Square, Media, PA 19063

Media PA

Oglau tar ac eira'n toddi,
a chusan haul ar dyrau'r eglwysi;
oglau persawr rhad o rywle
a bar yn llawn o dwrw'r bore,
oglau petrol a chyfrolau
beirdd yn crino yn y golau,
oglau cwrw, oglau cariad,
oglau twrcwn gwyllt yn siarad,
oglau'r boen sy mewn tawelwch
a wna yn eglur ystyr tristwch:
oglau hen hen iaith yn crio —
oglau hiraeth, dyna ydio. *Iwan*

Temple de la Sagrada Família. Antoni Gaudí

Smoookin'.

Barcelona
(Sgwâr George Orwell)

Mae grym dychrygwyr yma —
yn dyrau'n
baderau'n, fiesta,
rho i ddyn ar ddiwedd ha'
giât lôn i Gatalûnya.

Ymlaen . . . .

Iwan, Nia a Rhiannon

140.3 Foto: © Pere Vivas   TRIANGLE ▼ POSTALS

SÃO PAULO - Av. Paulista - Inaugurada em 8/12/1891, foi projetada pelo arquiteto uruguaio Joaquim Eugenio de Lima. Apedrejulhada em 1894 e beneficiada no ano 1903 tornou-se a primeira via pública asfaltada e arborizada da cidade. Na década de 1930, o jardim recebeu vários nomes, Villón, Trianón e finalmente "Siqueira Campos". No lugar do Belvedere foi construído um edifício denominado "Trianón". Foi demolido em 1950, onde ergueu-se em 1968 o Museu de Arte de São Paulo "Assis Chauteaubriand". A avenida abriga um dos maiores complexos hospitalares, empresariais e financeiros da América Latina. Ao longo dos 2,8 km da avenida, servidos pelo Metrô encontra-se a "Casa das Rosas", tombada pelo seu valor histórico. Foto: Roberto Caldeyro Stajano · 05/1994

Ffrindiau, Swn

Swn y glaw am bump y bore,
Swn y sêr ar ddiwedd siwrne,
Swn cytgord a chytgroch,
Swn y chwd sy'm yma bellach,
Swn y galar yn y galon,
Swn y trên a swn hen ddynion,
Swn y dafod oer yn todd'i,
Swn y taw ar ddiwedd stori,
Swn y Beatles, Cwm bardd eniol eth,
Swn canenon a chwedloniaeth,
Dyma'r swn sy'n gyrru rhywun
gan yn nes twag at y diben.

SÃO PAULO
Av. Paulista

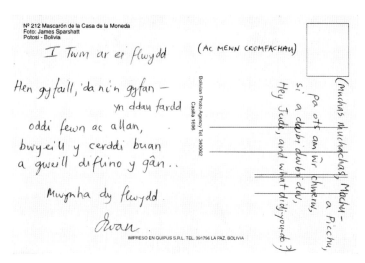

Nº 212 Mascarón de la Casa de la Moneda
Foto: James Sparshatt
Potosí - Bolivia

I Twm ar ei flwydd

Hen gyfaill, da ni'n gyfan –
            yn ddau fardd
oddi fewn ac allan,
bwyell y cerddi buan
a gwell diflino y gân..

    Mwynha dy flwydd.

        Iwan.

Bolivian Photo Agency Tel 340062
Casilla 1696

(Ac mewn cromfachau)

(muchas muchachas, Machu –
a Picchu,
pa ots am iwr chweru,
si a dwbi dwbi dw,
Hey Jude, and what did you do.)

IMPRESO EN QUIPUS S.R.L. TEL. 391796 LA PAZ, BOLIVIA

Iwan a fi a'r Dyn Hysbys

Duw a ŵyr sut, ond tra oedd Iwan a fi ar daith yn Ne America ym 1998, mi gedwais i ddyddiadur. Dyma hanes Iwan a fi a'r Dyn Hysbys yn Iluman, Equador...

Iluman ydi enw'r lle. Un stryd, a honno'n llwch coch. Hen ddynion a chŵn yn cysgu yn y cysgod. Ar hyd y pafin i gyd, hetiau newydd yn sychu. A dyma ni yn brydlon o flaen tŷ'r Dyn Hysbys. Clamp o arwydd mawr uwchben y drws: CARLOS SOSA ENCALADA: toda clase de ciencias ocultas... 'Pob math o ddewiniaeth'. Yno'r oedd dau ddyn yn gosod breuddwyd o ystol fregus ar ben bwrdd simsan er mwyn cyrraedd y to. 'Non es peligroso?' meddai Iwan. Mi gododd un o'r ddau ei ysgwyddau, a gwenu, a dangos yr arwydd, ac yna rhedeg i ben y to fel wiwer, a'i gyfaill yn dal yr ystol, a'r bwrdd yn dawnsio.

Roedd y drws yn agored. Yng nghefn y tŷ tywyll, roedd drws arall, a thrwy hwnnw gwelem ddynes yn eistedd ei hun yng nghanol potiau pridd, yn symud dim mwy na nhw. 'Buenos dias, siñora...' Ni ddywedodd na bw na be, dim ond gwneud arwydd inni fynd yn ein blaenau ar hyd y coridor.

Ym mhen y coridor roedd stafell aros, yn llwch ac yn hen bapurau newyddion, a chalendrau gwyliau mabsant i gyd. Hyd y parwydydd, lluniau o'r Seintiau, a'r Iesu a'i Fam, a merched noeth. Ond y llun mwya' i gyd oedd llun y Dyn Hysbys ei hun, wedi gwisgo yn niwyg y 70au: crys gwyn coler lydan agored, medal aur yng nghanol ei flew; trywsus gwyn â fflêrs; sbectols tywyll; mwstásh.

Ac ymhen ychydig, dyma'r dyn i mewn atom ni. Roedd o'r un ffunud â'i lun. Dyn bychan yn gwenu o hyd, a hanner aur Periw yn ei ddannedd, ac am ei fysedd. A dyma Iwan yn gofyn a oedd ganddo gyngor inni ynghylch cael hyd i Eldorado? Wel, oedd, debyg iawn, meddai. Ond yn gynta', byddai'n rhaid iddo berfformio seremoni bach efo ni ein dau.

Aethom i gyd i mewn i'w stafell isel, dywyll, boeth. Un bylb trydan gwantan di-orchudd yn y to. Dywedodd wrthym am dynnu amdanom hyd at y belt a rhoi ein breichiau ar led fel Crist Rio. A dyna fo'n mynd

draw at allor fechan ym mhen draw'r stafell, yn ddelwau o'r Forwyn, yn bennau anifeiliaid, yn goesau gafr wedi sychu, yn gerrig bychain, rhai sgleiniog a rhai du, yn bacedi sigaréts, ac yn ganhwyllau drosti. Mi roes dân ar gannwyll fawr, a dweud bod yn rhaid iddo fo fynd i newid ei ddillad cyn gwneud y seremoni, ac allan â fo. Mi edrychodd Iwan a fi ar ein gilydd yn druenus. Roeddwn i'n gwneud fy ngorau i ddal fy mol yn dynn, a'm cefn a'm hysgwyddau yn syth, ond doedd hi ddiawl o ots gan Iwan.

Ymhen rhyw 5 munud, mi ddaeth y Dyn Hysbys yn ei ôl. Roedd o wedi gwisgo yr un fath yn union ag o'r blaen, ond yn ei law roedd swp mawr o ddail hirion. Mi roes arwydd i Iwan nesáu ato, a pheri iddo sefyll yn union o dan y bylb trydan noeth, a'i freichiau ar led o hyd. Ac yn ôl â'r Dewin wedyn at ei allor fechan. Cydiodd mewn potel fechan blastig, a mynd i syllu ar fol mawr gwyn Iwan...

Ymhen ychydig, cymerodd gegaid o'r botel, ac yna POERI olew o ryw fath dros gorff Iwan, a dechrau ei fflangellu yn galed â'r dyrnaid dail – 'Thwac! Thwac! Thwac!' – gan fwmian a llafarganu yn ddi-baid.

Bob hyn a hyn, cymerai lwnc arall o'r botel, a phoeri eto ar y Prifardd nes ei fod o'n sgleinio fel brithyll. Weithiau hefyd, âi at ei allor, a chodi cannwyll, gan wneud sŵn rhyfedd tebyg i ŵydd yn chwythu, ac wedyn estyn ei dafod hir i lyfu'r fflam. Ac wedyn yn ei ôl at Iwan. 'Thwac! Thwac! Thwac!': bol, cefn, breichiau. 'Thwac!': cwd. 'Thwac! Thwac! Thwac!': coesau, traed, gwadnau. A minnau draw yn y gwyll heb fy nghrys yn crynu wrth ddisgwyl fy nhro i.

Wedyn, mi wasgodd y dyn gnawd Iwan rhwng ei fys a'i fawd, a dychwelyd at ei allor. Dawnsiodd ychydig, ac yna codi carreg fechan ddu. Aeth i sefyll wyneb-yng-ngwyneb ag Iwan. Cododd y garreg at ei wefusau a'i chusanu, a pheri i Iwan ei chusanu hefyd. Yna, mi rwbiodd y garreg dros gorff Iwan ym mhob man lle bu'r dail. Ac wedi cosi ei wadnau, dyma fo'n dweud wrth Iwan am DYNNU EI DRWYSUS.

'Na wna' i,' meddai'r Prifardd.

'Por qué?' meddai'r Dyn Hysbys.

'Dim ond newydd eich cyfarfod chi rydw i.'

Twm Morys

Syndans

Maen nhw wedi'i ladd o, Bwtsh: roedd ei ynnau o ar lawr,
A fyntau'n hepian yn yr haul ar ochor mynydd mawr.

Maen nhw wedi'i ladd o, Bwtsh, wedi tynnu'i fŵts o ledar Sbaen,
Ac wedi dwyn y pigau arian ac aur oedd ar eu blaen.

Maen nhw wedi'i ladd o, Bwtsh, ac maen nhw wedi arbed dyn
Rhag yr holl embaras mawr o fethu lladd ei hun.

Do, maen nhw wedi'i ladd o, Bwtsh: maen nhw wedi lladd y clwy
Fyddai'n cydio ynddo o dro i dro
Yn gwneud iddo gredu ei fod o ar ffo
A chdithau ar herw efo fo
Yn eich cotiau hirion a'ch hetiau Jim-Cro
Che Gevara a Jeronimo
Yn canu emynau fel dynion o'u co'
Yn y Cian Offis yn New Mecsico.
Mi laddwyd y salwch hwnnw, do....

Rhag iddo fynd yn fwy.

Twm Morys

Atgofion am Iwan

Sgwrs i Radio Cymru 8og, 29.5.10

Fel nifer o bobl bues i'n ffodus ar wahanol adegau i rannu llwyfan hefo Iwan, ond yn bennaf efallai rhannu'i gwmni, cwmni difyr, a dyna fydda' i'n ei golli fwyaf.

Roedd o'n gwybod sut i fwynhau, rhyw wên a chwerthin heintus ganddo, a rhyw hoff ddywediadau fel 'lash it out!' a 'shmokin' pan oedd yn anterth ei hwyliau; bron ei fod o'n eich herio chi i gydfwynhau hefo fo, achos roedd 'na ryw haelioni yn ei gylch, haelioni'r ysbryd.

Roedd 'na hefyd angerdd ynddo fo, angerdd Cymreig ac angerdd dros y Gymraeg a hanes Cymru, oedd yn amlygu'i hun yn ei waith fel llenor ac fel beirniad ac hefyd yn ei waith fel cerddor. Roedd Iwan yn licio bod yn rocarolar o fardd. Ond ar y llaw arall roedd 'na hefyd rhyw dawelwch ynddo fo weithiau, rhywbeth myfyrgar; byddai'n dweud 'mae'r angylion yn hedfan heibio' ar adegau pan fyddai 'na fwlch yn y sgwrs, ac roedd yn hoffi geiriau'r gân 'Twmi'; 'rhyw deid yn mynd mewn a rhyw deid yn mynd mâs, a dyna yw bywyd medd Twmi', (os dwi'n cofio'r geiriau'n iawn, beth bynnag) roedd hynny'n apelio at yr athronydd yn Iwan.

Un o'r pethau trista am ei farwolaeth yw'r teimlad fod yma foi oedd dal â lot mwy i'w ddweud, a lot mwy i'w roi – sy'n ddweud mawr o gofio fod ei waddol lenyddol yn eitha sylweddol yn barod, a dwy gyfrol ganddo wedi cyrraedd y brig yng ngwobrwyon Llyfr y Flwyddyn; ond dyna pa mor ddawnus oedd o.

Enillodd o goron Eisteddfod Genedlaethol Cwm Rhymni yn 1990 am gyfres wych o gerddi yn dadansoddi'r cyfnod ers y referendwm aflwyddiannus cynta; ymhlith fy ffefrynnau i mae'r cerddi sgwennodd i nodi chwe chanmlwyddiant gwrthryfel Glyndŵr yn y flwyddyn 2000. Roedd yn bennaf adnabyddus am ei waith yn y mesurau rhydd a phenrydd, ond roedd o hefyd yn gynganeddwr medrus a sŵn y gynghanedd byth yn bell o dan y wyneb, yn atseinio drwy'i waith yn gyffredinol. Roedd 'na grefft yn perthyn i bopeth fyddai'n ei sgwennu.

Roedd o hefyd yn awyddus iawn i rannu'i fedr a'i weledigaeth fel bardd hefo'r to iau, a dwi'n gwybod fod y gwaith y buodd o'n ei wneud mewn ysgolion, yn cyflwyno'i gerddi'i hun ac yn annog pobl ifainc i sgwennu cerddi, yn bwysig ganddo fo. Mae'n briodol fod nifer o'i gerddi yn rhan o'r maes llafur yn ein hysgolion, a Chymry ifainc yn cael eu cyflwyno fel yna i'r bardd amryddawn hwn. Roedd ei awen yn Gymraeg ac yn rhyngwladol; ac er bydd gwaith y bardd yn aros, bydd bwlch mawr ar ôl y dyn.

Twm, Myrddin, Geraint, Mei ac Iwan wrth fedd Eben Fardd yn Eglwys Clynnog-fawr adeg priodas Mei a Karen, Medi 2009

Diwedd Cyfeillgarwch

Ai hyn sy'n dod ohonom? Ai celwydd
fu'r cwlwm amdanom?
Nid oes iaith all ddweud y siom
a'r angau'n gyllell rhyngom.

Yn 1986 gwahoddwyd Iwan a finnau i feirniadu'r cystadlaethau roc yn yr Eisteddfod Ryng-golegol, oedd yn cael ei chynnal yng Nghaerdydd y flwyddyn honno. Dyma setlo lawr am bnawn hir o flaen y bandiau, gyda bar yr Undeb yn hwylus o agos.

Teg dweud nad oedd pob cystadleuaeth at ddant ni'n dau; yn sicr doedd gynnon ni fawr o olwg ar gystadleuaeth y gân serch, oedd yn tueddu denu ymdrechion digon ystrydebol bob blwyddyn. Ond wrth wylio'r bandiau'n gwneud prawf sain ar ddechrau'r p'nawn, braf oedd gweld fod un band o Gaerdydd o leia am drio gwneud rhywbeth gwahanol yn y gystadleuaeth honno. Ac felly buodd; pnawn digon difyr yng nghwmni'r bandiau, gydag ambell ymweliad â'r bar – er mwyn iro'r crebwyll beirniadol.

A dwi'n siŵr inni roi beirniadaethau digon di-fai ar y Gân Felan, y Gân Ddoniol, y Gân Roc ac yn y blaen... nes dod at y Gân Serch bondigrybwyll. Cynigion digon di-fflach gan Abertawe a Bangor; yna deuawd i gynrychioli Aberystwyth, a'r ddau'n dal dwylo tra'n canu. Roedd eu cydfyfyrwyr yn gweld hyn yn annwyl dros ben; roedd Iwan a finnau'n gweld hynny'n anfaddeuol o sopi – ond o leia roedden ni'n hyderus fod rhywbeth mwy addawol i ddod gan Gaerdydd i achub y gystadleuaeth.

Ar y pwynt yma, teimlais na allwn ohirio rhagor rhag ymweld â'r lle chwech. Dyma adael Iwan wrth y llyw a mynd i wagio llond pnawn o bledren. Dychmygwch y sioc a gefais, pan ddes i o'r lle chwech a gweld Iwan yn disgwyl amdana'i gyda gwên ar ei wyneb a dau beint newydd eu tynnu ymhob llaw. Tra on i yn y tŷ bach, roedd o'n amlwg wedi bod wrth y bar – felly pwy oedd wedi bod wrth fwrdd y beirniaid? Roedd Iwan wastad yn cadw ei ben dan amgylchiadau fel'na; 'Diom ots' meddai fo, 'gwelson ni'r tri cynta ac roedden nhw i gyd yn rybish. Roedd Caerdydd siŵr o fod yn well – rhown ni'r wobr gynta iddyn nhw.' A minnau wedi bod yn disychedu'n rheolaidd drwy'r pnawn roedd hyn yn ymddangos yn ateb synhwyrol dros ben, a dyna fu.

Syndod oedd wynebu banllefau o anghymeradwyaeth groch wedyn pan gyhoeddwyd ein dyfarniad – nes inni ddeall fod grŵp Caerdydd wedi torri lawr ar ôl eu pennill gyntaf a methu hyd yn oed gorffen eu cân! A ninnau wedi rhoi'r wobr gyntaf iddynt! Am ryw reswm, chawsom ni ddim gwahoddiad i feirniadu hefo'n gilydd ar ôl hynny...

Roedd hi'n od mynd i Lyn Ebwy heb Iwan, dau gwm i ffwrdd o

ble cipiodd ei goron nôl yn 1990. Ond mi fues i yng Nglyn Ebwy hefo fo unwaith o'r blaen. Roedden ni wedi cael gwahoddiad i ddarllen yn yr Wyl Gerddi a gynhaliwyd yno yn 1992. Wrth gyflwyno'n hunain wrth y giât, tipyn o sioc oedd wynebu rhyw greadur mewn siaced liwgar a chlipfwrdd yn ei law, a sbonciodd i fyny atom gan gyhoeddi; 'Hi! I'm your performer chaperone.' Edrychodd arnon ni'n amheus cyn ychwanegu, 'where are your costumes?' Edrychais i ar Iwan ac edrychodd yntau nôl arna'i. Roedd ganddo ryw ffordd o dynnu'i ên nôl mewn i'w wddf pan oedd yn amheus o ryw beth a dyna wnaeth yn awr. Er inni geisio darbwyllo'n chaperone newydd nad oedd hi'n arfer gan feirdd i 'wisgo' cyn perfformiad, mynnodd ein hebrwng ni i'n 'stafell newid'. Aethom ni ar ei ôl o yn ddigon ufudd. Roedd yn haws na dadlau, a beth bynnag onid oedd yr holl sôn am chaperones a costumes wedi gwneud inni feddwl efallai y basen ni'n cael rhyw stafell werdd foethus hefo powlen o ffrwythau ecsotig a brechdanau on tap? Ond cawson ni'n dadrithio'n ddigon buan ar y pwynt yna, wrth iddo'n tywys ni mewn i Portakabin blêr, a hwnnw'n drewi o DeepHeat am ein bod ni'n ei rannu hefo tim pêl-droed dan 11. A dyna roi'r beirdd yn eu lle!

Roedd hi'n wyntog yng Nglyn Ebwy'r diwrnod hwnnw, ac mae'n rhaid gen i fod hynny wedi'i argraffu'i hun ar feddwl Iwan; rhai misoedd wedyn ysgrifennodd gerdd i fynegi ei siom o ddeall fod godidowgrwydd parc yr Wyl, y trawsffurfiad gwyrthiol hwnnw a wnaed o gwm digon llwm, yn mynd i gael ei droi'n stadau tai a chanolfan siopa. Rhan yn unig o'r Parc gwreiddiol fase'n cael aros, i'w fwynhau gan yr oesau a ddêl. Yng ngherdd Iwan, 'Yr ŵyl gerddi', mae'r gwynt yn cynrychioli grym natur ond hefyd grym y cyfalaf oedd yn gyfrifol am hyn. Dyma hi.

Dychmygwch y sioc a gefais, pan ddes i o'r lle chwech a gweld Iwan yn disgwyl amdana'i gyda gwên ar ei wyneb a dau beint newydd eu tynnu ymhob llaw.

Y Waliau'n Canu

(ar ôl bod yng nghyfarfod coffa Iwan Llwyd yn Eisteddfod Glyn Ebwy)

Er dewis pob gair â gofal waliwr,
eu gosod yn bennau cŵn
neu'n bwyth drwodd,
eu pacio'n dynn fel uwd ym mol y gerdd

mae 'na feirdd Saesneg sy'n darllen wedyn
mor ryddmig soporiffig â wal frics
mae diwedd pob llinell yn hongian
yn annisgwyl fel hannar bricsan;
 gwyngalchant y lliw o'r llais.

Ond nid felly Iwan;
er enghreifftio ohono ei grefft
dros gyfanfor a chyfandir,
er canu ohono'n gyfysgwydd â beirdd yr iaith fain,
roedd lliw y darllen yn rhan o'i lais.

Roedd ei waith yn canu
ond gallai ganu ei waith,
â'i lais yn fwsog ar fiwsig ei eiriau,

weithiau'n sibrwd o fôn clawdd,
weithiau'n taranu fel Tŵr yr Eryr,
gan anwylo'r ansoddair
oedd yn faen clo i'w gerdd.

Mae ei waliau'n cerdded y bryniau o hyd;
yn diffinio strydoedd Cymru a'r byd;
ond mae'i lais yn dal i'n llorio.

A ddoe'n y Babell Lên,
o'i glywed yn diasbedain
yng nghynteddau gwag y cof,
roedd y waliau'n canu.

Yn ogystal â theithio i gadw nosweithiau hefo Iwan, un tro aeth Bethan a finnau ar ein gwyliau i Sicilia hefo Nia ac yntau. Mi welson ni ryfeddodau lu ar ein taith; cyrff o ganrifoedd yn ôl, wedi'u hongian i sychu mewn ogofeydd, 'run fath â 'Parma hams'; ynysoedd Stromboli gyda'u pyllau swlffwr, a physgod bach glas llachar oedd yn edrych fel condoms heb eu hagor. Ac mi wnaethon ni ddarganfod diod newydd hefyd; amandorla, rhyw wirod wedi'i wneud o gnau os y cofiaf yn iawn, a dyma ni'n ei benodi'n ddiod swyddogol y gwyliau. Dylai pob gwyliau gael diod swyddogol, y math o beth dach chi'n ymserchu ynddo yn yr haul, yn prynu potel ohono i fynd adre hefo chi – a'i ddarganfod flynyddoedd wedyn yn hel llwch yng nghefn cwpwrdd yn y gegin.

Un noson tra'n byta allan, dyma alw am rownd o amandorla, a mentro gofyn i'r gweinydd tybed a wyddai beth oedd sgôr y pêl-droed, nôl adref yng Nghymru. (Roedd Cymru'n chwarae'n erbyn yr Almaen.) Roedd y gweinydd yn amlwg wedi bod yn trio dyfalu pa iaith oedden ni'n ei siarad ac felly dyma fo'n cyhoeddi'n fuddugoliaethus, "A ha! Almaenwyr ydach chi!" "Na" medden ninnau. "O. Wnaethoch chi golli."

O gofio fod hyn yn 1991, a'r Almaen newydd ennill Cwpan y Byd y flwyddyn gynt, doedd y canlyniad ddim yn gymaint â hynny o syndod. Beth oedd yn sioc oedd mynd nôl i'n fflat, rhoi'r teledu ymlaen ac wrth fflicio sianeli, ddarganfod gêm Cymru'n cael ei dangos i gyd! Dyma ddechrau gwylio'r gêm a chael ein calonogi o weld Rush yn cael gôl. Er bod ni'n gwybod y canlyniad, braf oedd gweld Cymru'n cael gôl o leia, ac roedden ni'n chwilfrydig ynglŷn â'r sgôr derfynol. Wrth i'r gêm dynnu at ei diwedd, a dim golwg fod yr Almaenwyr am sgorio, dyma ni'n dechrau amau fod gweinydd y tŷ bwyta wedi camddeall wrth inni ddweud nad Almaenwyr oedden ni – doedd bosib fod Cymru wedi ennill y gêm wedi'r cyfan?! Ddeng munud yn ddiweddarach roedd y fflat yn atseinio wrth inni ddathlu buddugoliaeth yn erbyn pencampwyr y byd. Roedden ni wrth ein boddau – a'r diwrnod wedyn ar drip bws i fyny llethrau Etna, dyma Iwan a finnau'n sgwennu 'Galles 1, Allemania 0' ar gefn un o'r seti. Sydd ychydig yn drist o gofio fod y ddau ohonon ni yn ein tri degau ar y pryd…

* * *

Dan ni'n cysylltu Iwan yn bennaf â Bangor – 'Iw Bang' oedd o i lawer o'i gyfoedion yn y coleg – ond roedd o'n mwynhau Caernarfon hefyd. Bu'n gweithio'n y dre am gyfnod, ysgrifennodd gerddi am rai o gymeriadau'r Dre, ac am gyfnod byr bues innau ac Iwan, (ynghŷd â Geraint Løvgreen, Owen Owens a Maredudd ab Iestyn) yn chwarae mewn band oedd â rhyw fath o residency yn nhafarn yr Eagles yng Nghaernarfon.

Wrth gwrs roedd Iwan yn fwy adnabyddus am ei gyfraniad i fand yr Enw Da a gorchwyl anodd i Geraint a gweddill yr hogia oedd chwarae eu gig cynta hebddo ar ôl ei farwolaeth. Yng Nghaernarfon oedd hynny digwydd bod, ac yn addas ddigon efallai, ron i wedi trefnu cyfarfod ag aelodau'r band yn nhafarn yr Eagles wedyn.

Roedd hi'n noson arferol yn y dafarn, y karaoke yn ei anterth, a bywyd yn mynd yn ei flaen; ond i un criw bach ohonom, roedd absenoldeb Iwan yn llethol; ninnau'n gweld eisiau ei gwmni, y chwerthin mawr, y cofleidio, ac roedden ni'n dyheu am glywed rhai o'r ymadroddion fyddai ganddo; 'some kind of innocence is measured out in miles' ac 'mae'r angylion yn hedfan heibio'. Weithiau, hyd yn oed yn y cwmni mwya difyr, daw bwlch annisgwyl yn y sgwrs – a dyna, yn ôl Iwan oedd yr esboniad; 'mae'r angylion yn hedfan heibio'. Dyma gerdd am y noson honno.

Cwmni

(i Geraint, Nows a Sned, er cof am Iwan)

Gyda'r machlud yn glais uwch yr Eagles,
dyna'r noson gynta
inni ganu hebot ti.

Dan oleuadau a ddiferai
yn lliwiau anwadal o'r to,
roedd merched mewn ffrogiau clybio

ar eu ffordd stileto i'r Dre,
a gwragedd a'u gwŷr mewn crysau glân
yn crŵnio karaoke o'u seti,

a phawb yn gwybod geiriau 'Dan ni yma o hyd',
ond roedd bwlch yn y rhengoedd
a'r gân yn gelwydd i gyd.

Ac aethom ragom, o dafarn i dafarn,
a sŵn 'yr angylion yn hedfan heibio'
yn mynnu bylchu pob sgwrs.

Dro ar ôl tro,
a ninnau'n mud wylio
Guinness arall yn setlo,

ceisiasom gofio trydan dy awen,
yn llosgi'n llachar yn seiadau'r nos,
cyn pylu'n annhymig yn llwyd y wawr…

Ond wrth faglu i'r bore
a'r gwylanod yn gymanfa gwatwarwyr
uwch ein pennau,

roedd dy gân unwaith eto
yn rhuban yn y gwynt,
dy chwerthin yn atsain drwy'r strydoedd gwag,

a'th gerdd yn awyren fry,
yn sgriff wen ar las y bore newydd,
yn daith sy'n ein galw o hyd.

Pigon o daith goffa'r beirdd

(i)   Glyn Ebwy

Ddiwedd y noson gynta, ar lan y llyn ym Maes C. Mae un ochr o'r neuadd yn ffenest anferth sy'n edrych allan dros y dŵr. Mae llygaid pawb wedi'u hoelio ar y sgrin, ar y fideo o Iwan ac Elwyn Williams yn canu 'Y Weddi':

'gwesty diarth, llygaid hardd,
llais y pellter yng nghalon bardd'

Ond wrth eistedd ar y llwyfan, gwelaf drwy'r ffenest fod holl wyddau'r llyn yn gadael y dŵr ac yn dod yn un rhuban i gyfeiriad y sgrin, gan ymgasglu tu allan wrth y ffenest. Ai'r golau sy'n eu denu? Ynteu'r gân?

(ii)   Felinheli

Mae Geraint Løvgreen yn enwog ymhlith pethau eraill, am ei gasgliad helaeth o grysau T, ac ar ddiwedd y noson yn Felin roedd yn sefyll ar y llwyfan yn siarad hefo Nows, tra'n clirio offer.

Roedd yn arfer gennym ar ddiwedd y sioe i chwarae tâp o ganeuon a gyfansoddwyd gan Iwan, gyda chasgliad o glipiau fideo ohono, mewn slo-mo, wedi'u taflunio i gyd-fynd â'r caneuon. Yn ddiarwybod i Geraint roedd wedi oedi reit o flaen y taflunydd, ac o ganlyniad roedd y lluniau o Iwan yn ymddangos ar frest ei grys T yn hytrach nag ar y sgrin y tu ôl iddo. Roedd yna luniau o Iwan yn chwarae bas, Iwan yn cael ei gyfweld, Iwan yn gwenu, a'r cyfan yn symud fel petai'n fyw, ar frest Geraint.

'Blydi hel,' me' fi, 'mae Løvgreen 'di cael crys T Harri Potter!'

(iii)   Glandwyfach

Mae un nad yw yma heno – a chwerw
    yw pob chwarae hebddo;
  ond rhown bob un yn ei dro,
  win i'w gyfarch a'i gofio

(iv)   yn ôl i'r dechrau: Glyn Ebwy

Mae'n nos Fawrth yn Steddfod Glyn Ebwy, noson fwll ar lan y llyn ym Maes C, ac mae Geraint Løvgreen a'r Enw Da yn eu hanterth. Ymhlith y dorf sydd yno'n dawnsio mae Rhiannon, sy'n un ar ddeg oed ac yn ferch i Iwan a Nia. Mae'r band yn chwarae un o'r caneuon a gyfansoddwyd gan ei thad. Mae Rhiannon yn gwenu, wrth adrodd geiriau'r cytgan i'r ffrind sy'n dawnsio hefo hi:

'Lle mae'r hen ffyddloniaid dal yn eu bri, dyna lle wnei di ffeindio i.'

Bendith arni.

Ifor ap Glyn

Cysgod

O'r seithfed ne' a'r lle'n llawn – a'r heulwen
    Ar farilau gorlawn,
   Yn rhydd aeth gŵr amryddawn
   O wenau haul canol pnawn.

Arwyn Groe

Un arall yn holi 'Lle wyt ti?'

A'r awyr mor ddu rŵan, – yn dawel,
    Yn dywyll ymhobman,
   Y bar a'r gitâr heb gân;
   Tawel. Lle wyt-ti Iwan?

Arwyn Groe

Pwy fu'n gwisgo'r hetie gore?
Pwy fu'n gweu y nos i'r bore?
Pwy fu'n llowcio geirie'n fwyd?
O'i ôl mae'r wawr yn fythol lwyd

Cerddi a straeon y daith

Iw, Lle wyt ti?

Hyd yn oed pan oeddwn i ar daith farddol ar fy mhen fy hun 'doedd cwmni Iwan ddim yn bell gan ein bod yn gyrru negeseuon at ein gilydd ar y ffôn bach. Byddai rheiny'n mynd a dod ystod y p'nawn, gyda'r nos ac oriau mân a pherig y bore. Yn aml iawn roedd dyfynnu geiriau caneuon Bob Dylan a Leonard Cohen yn rhan o'r sgwrs, pethau fel 'Sun down, yellow moon', 'It ain't me babe' ac 'Alexandra leaving with her Lord.' Ar ôl rhai blynyddoedd bu bron i'r arfer fynd yn gystadleuaeth i weld pwy oedd ar y daith orau – cystadleuaeth yr oeddwn i'n ei cholli o hyd. Os oeddwn i ym Môn roedd Iwan yng Ngaerdydd. A minnau'n mwynhau Llundain roedd Iwan ym Marcelona. Roedd o wastad mewn man gwynnach na mi.

Yn fy hen ffôn mae un neges yn dal i orwedd. Neges na chyrhaeddodd pen ei thaith. Message Pending yn ôl y ffôn. 'Iw, lle wyt ti?' oedd y neges syml honno. Ychydig ddyddiau'n ddiweddarach daeth galwad gan Geraint, a daeth i ben deithio byd.

Daeth straeon o Eifionydd
a geiriau daeth o Gaerdydd
heno dy fod yn dy fedd Iwan,
mai dyma'r diwedd;
y diwedd ar y gwledda
ar gwrw doeth ar griw da,
diwedd ar ein byd Iwan:
diwedd ar do oedd ar dân.

Clywais rhyw daclau Iwan
yn sôn am lwch, sôn am lan,
am hastalafista fach
a sôn bu llawer sinach
bod y sêr wrth ein fferau
a'r giât i 'fory ar gau.

Deallais dy fod allan – yn y niwl
yn oer ac yn druan.
O dywed dy fod Iwan
yn glyd ym miri'r Old Glan.

Cychwyn

Roedd pob taith efo Iwan yn wefr a phob taith yn wahanol ond roedd y teithiau hynny'n cychwyn yn debyg iawn i'w gilydd. Dyma er enghraifft ddechrau un daith arbennig ddwy neu dair blynedd yn ôl. Gyrrais y car drwy adwy Tai Newyddion a hithau'n dywyll. Troi'r chwith wedyn heibio'r drws yn nhalcen y tŷ a throi rownd ym mhen draw'r ardd. Erbyn cyrraedd y drws drachefn roedd Iwan yno efo'i gôt a'i het a'i gitâr a sach yn llawn o gerddi ar ei ysgwydd. Rhoddodd rheiny ar y sêt gefn ac i mewn i'r car ag o. Wedi ychydig eiliadau o gyfarch ein gilydd, ysgwyd llaw ac ati distawodd Iwan cyn edrych i fyw fy llygaid. Edrychodd yn ei flaen wedyn ar hyd y 'dreif' tua'r adwy, tua'r lôn, y lôn oedd mor bwysig iddo. Trimiodd cantel ei het a throdd ataf unwaith eto, gwenodd a chyhoeddodd yn huawdl 'Let's do it!!'

Merched y Wawr Penrhosgarnedd oedd ein cynulleidfa'r noson honno

Blaenau

Bardd craff iawn oedd Iwan a bardd oedd yn gweld yn bellach na'r gweddill ohonom. Un bore ar goll yn strydoedd cefn Blaenau Ffestiniog yn chwilio am Ysgol y Moelwyn dyma daro ar ddyn yn mynd â'i gi am dro. Gofynnodd Iwan iddo a wyddai ble oedd yr ysgol. Ateb swta iawn daeth yn ôl mewn acen hyll a digywilydd. Dyma sylwi mai dyn dall oedd o. Chwarter awr wedyn adroddodd Iwan gerdd fer i'r achlysur:

'Allwch chi ddweud wrtha i
ble mae'r Ysgol Uwchradd
os gwelwch yn dda?'"
holodd y bardd.
'Can't help you mate.'
atebodd y dyn dall yn swta.

Ond roedd y ci'n gwybod.

Cwrw'r Penygwryd

Peth hardd iawn yw gwylio peint o Ginis yn dod at ei hun ar ôl ei dywallt. Mewn ymgais i ddygymod â'r ffaith bod Iwan wedi marw mi es i dafarn y Penygwryd i wylio peint o'r du a gwyn yn dod yn fyw. Mi ges gyfle i chwerthin a sychu deigryn wrth i'r profiadau di-ri ddod lifo'n eu holau'n y cymylau mwyn. Ond yn bennaf cefais gyfle i gofio mai dal ati i deithio ydi ein gwaith fel beirdd fel y byddai Iwan ei hun wedi ei wneud pe bawn i wedi gorfod mynd o'i flaen.

Iwan, ar daith

Mae cwrw'r Penygwryd
yn fôr mawr, yn firi mud,
yn chwaer wlad ar ochr lôn
yn ogof o gynigion,
yn iaith ei hun yn daith hir,
yn hoeden o'r deheudir.

Mae cwrw'r Penygwryd
yn hel atgofion ynghyd:
yn gôt a het a gitâr
yn lluwch o eiriau llachar,
yn dri bardd, yn fodryb od
a thair nith ar eu nythod.

Mae cwrw'r Penygwryd
yn wal wen hyd ben y byd,
yn dñ croesawgar, yn dân,
yn llaw mêt cyn llymeitian,
yn wên gan ffrind ac yn ffrae
yn soned o gusanau,
yn waed, yn angen wedyn,
yn afon dew o fewn dyn.

Os yw amser i glera,
amser i daith amser da'n
brinnach heb gwmni'r brenin
a thinciadau'r gwydrau gwin
yn lleihau, mae lle o hyd
i gwrw'r Penygwryd.

Mei Mac

Iwan yn y Band

Dywedodd Steve Eaves fod yr 'Ysbryd Mawr' yng ngherddi Iwan Llwyd, fy ffrind a 'mhartner ar lwyfan am dros hanner fy oes. Roedd yr Ysbryd hwnnw yn Iwan ei hun; yr awch am fywyd, yr awch mawr i greu a chyfrannu at ddiwylliant y byd, a hynny yn Gymraeg. Ac o ddiwedd y 1970au tan ei farwolaeth uffernol o drist dros 30 mlynedd yn ddiweddarach, bu'n gyfrifol am ddegau o ganeuon oedd yn ffenest i enaid teimladwy a chraff.

> Byta chips ac yn yfed gormod...
> ('Bois Maesgeirchen', 1981)

Oedden, roedden ni'n yfed gormod (ac yn dal i wneud); gwybod pryd i stopio oedd y gamp. Wrth ganu efo Doctor mewn llefydd rhyfedd fel Villa Pantana Garndolbenmaen (ar lwyfan uwchben y bar, tua deg troedfedd uwchben y gynulleidfa) neu o flaen cynulleidfaoedd rhyfedd fel sgineds hen-ffasiwn Penygroes, ffurfiwyd cyfeillgarwch oes yn ogystal ag uned gerddorol weddol daclus. A dyna ddechrau perthynas rhwng Iwan a fi a barodd tan eleni.

Dwi'n credu mewn reggae Cymraeg, cael digon ar fod o dan draed...

('Merch o Ddonegal', 1981)

Reggae Cymraeg! Roedd Jarman a'r Cynganeddwyr yn arwyr, a Doctor yn ffans. Aethom yr holl ffordd i Sandbach i recordio sengl 'Donegal', a chael ein taflu allan o'r dafarn am siarad Cymraeg. Ond wrth deithio'n ôl i Gymru roedd Iwan wedi'n darbwyllo ni ein bod ni newydd recordio'r sengl orau erioed yn hanes pop Cymraeg. Roedd o wastad gant y cant yn bositif am bob peth roedd o'n ei wneud. 'Smokin!'

Mi ges i dacsi adre'n hunan eto heno, heb wybod ffordd i droi na phwy sy'n ffrind...
('Tacsi (Adre Heno)', 1984)

Yr oriau mân ar ôl gig oedd yn ddifyr. Eistedd yn y Cŵps yn sgwennu englyn ar fat cwrw i'w ychwanegu at y stôr o gerddi gan feirdd o Gymru benbaladr oedd mewn bocs tu ôl i'r bar (mi fase'n dda gwybod lle mae'r bocs gwerthfawr hwnnw erbyn hyn). Iwan yn codi canu, 'Mae Nain mewn bwthyn bach...', a phawb yn cydganu erbyn y llinell ola: '...a-a mochyn yn y cwt!'. Codi peint arall, cyn sylwi bod Iwan wedi diflannu.

Mae'r hen destament ar ben, ac mae drws yfory ar agor led y pen...
('Syched', 1985)

Ar ôl chwarae yng Nghlwb Ifor Bach ryw dro yn yr 80au aethon ni'n

ôl i'r llwyfan i wneud pedwerydd set am ryw reswm, tua dau y bore a ninnau wedi bod yn yfed ers cyrraedd Caerdydd. Nows ar y drymiau'n taflu ffyn at Iwan am ei fod o'n chwarae nodau anghywir a finnau'n gwisgo sbectol haul ac yn methu gweld nodau'r piano heb sôn am eu chwarae. Yr hen syched diddiwedd 'ma.

> Ydi'r drws ar glo, 'chos wyt ti ar ben dy hunan yn awr...
> ('Annibyniaeth', 1988)

Mi fydda i'n cofio'r sgyrsiau mewn tafarn (bob amser mewn tafarn!), y chwerthin mawr ac aflywodraethus, y gwin, y merched, y dadlau (ac ambell ffrae, heb fyth ddal dig) a'r canu. Cyrraedd gig, gosod ein hoffer, croesi'r ffordd i'r dafarn agosaf, codi peint, ac Iwan yn anelu'n syth am y jiwcbocs i roi Elvis ymlaen. Ei hoff linell oedd honno yn 'I just can't help believin' sy'n gorffen '...like a glove'.

> Dyma fo ar hanner ffordd i unman, hanner ffordd i gerdded allan...
> ('Tŷ Hanner Ffordd', 1993)

Rhwng teithio efo'r Enw Da, efo triawd Steve Eaves a'r teithiau beirdd arloesol roedd o'n eu trefnu, roedd crwydro wedi mynd i waed Iwan, a hynny'n thema gyson yn ei ganeuon. Nodiadau yn ei lyfr du o'i deithio diddiwedd oedd sylfaen 'A470', 'Hotel Pierre', 'Yr Hen Leuad Felen a Fi', 'Nadolig yn Nulyn' a llawer mwy. Wedyn mi fyddai'n tynnu'r llyfr bach du o'i boced i ddangos y gerdd ddiweddaraf a gofyn 'Be ti'n feddwl o hon?'.

Yn gweld y drwg a'r da i gyd, yn gweld y byd, a'i roi yn ei le...
('Tŷ Coz', 1995)

Aeth Iwan â'i farddoniaeth i Dde America, yr Unol Daleithiau, Gwlad Pwyl... a dod yn ôl i'n difyrru ni yn y band efo llwyth o straeon anhygoel am ei brofiadau yn y gwledydd pell. Chwerthin mawr eto. Ar wyliau teulu ddwy flynedd yn ôl mi ffeindiais i dafarn Tŷ Coz ym Montroulez, ac wrth fwynhau gwydraid o seidr y tu allan i'r bar bach cyfyng, o'n i'n dychmygu Iwan yno yn llawn hwyliau ynghanol y 'merched teg yn yfed gwin'.

Mae 'na sêr yn ein gwarchod ni, maen nhw wedi rhoi man gwyn man draw...
('Babi, Tyrd i Mewn o'r Glaw', 1998)

Faswn i ddim yn galw Iwan yn fardd yr haul. Bardd y nos oedd o, y sêr, y cilfachau tywyll mewn tafarnau bach myglyd yng nghefn gwlad Ceredigion, Iwerddon neu Lydaw. 'Rhwng y snyg a'r stryd mae'r straeon yn llenwi'r nos â sgwrs angylion, a'u siarad yn gariad i gyd'. Bardd yr oriau hwyr ar ôl gig arall, y bas yn pwyso yn erbyn wal, y PA wedi'i bacio (gan weddill y band, siŵr iawn) ac yntau wrth y bar yn canu 'Mae 'nghariad i'n Fenws'.

Gwesty diarth, llygaid hardd, llais y pellter yng nghalon bardd...
('Y Weddi (ar ôl THPW)', 2008)

Fel ei hoff fardd T.H. Parry-Williams aeth Iwan 'o Gymru i gyrrau Brasil', a daeth yn ôl gyda chân arbennig. Diolch am y fraint o gael rhannu gwefr ambell i gynulleidfa pan godai Iwan y gitâr acwstig a'i chanu yn iasol o deimladwy. Diolch am gael bod yn gyd-deithiwr. A diolch i'r cyfeillion o feirdd sydd eisoes wedi sgwennu marwnadau ysgytwol iddo fo. Dw i ddim yn fardd, ond...

Roedd 'na rywbeth personol
rhwng Iwan a fi –
rhyw berthynas amhendant
fel rhwng B minor a G...

dacw fo yn ei het
â'i gitâr fas a'i amp
ar y llinyn tyn uchel
sydd rhwng rhemp a champ...

ac mi wn nad oedd Iwan
yn berffaith o bell,
ond pan ganai ei gân
roedd y byd 'ma'n le gwell.

O.N. Ar Fehefin 8fed talwyd teyrnged yng Nghynulliad Cenedlaethol Cymru i Stuart Cable, drymiwr y Stereophonics. 'Cyfrannodd Stuart at wneud ein gwlad yn cŵl,' meddai Leanne Wood. Ddywedodd neb yn y Cynulliad air am gyfraniad aruthrol Iwan Llwyd. Mae gennon ni ffordd bell i fynd o hyd i gyflawni delfryd Iwan o fod yn genedl aeddfed yn Ewrop a'r byd.

Geraint Løvgreen

Mewn clwb jazz yn Greenwich Village

30.12.10

Pedwar dyn sbectolog
yn fodlon yn eu nos
yn tynnu mêl o sacsoffon
a bas a Fender Rhodes,
ac alltud clên o Rochester
a thriawd o Frasil
a'r Siapaneaid bythol
i gyd am gael y thrill
o jazz yn nos yn ddinas
mewn clwb yn Greenwich West:
mae'r barman fel John Hartson
a'r barmaid yn ei fest
a boi yn codi Carlsberg
di-alcohol wrth y bar
a rhai yn dal i ddod i mewn
a neb am fod yn sgwâr
a hogyn du mewn hwdi
yn dod mewn heb ei gang

a thrwy hyn oll dwi'n methu peidio
meddwl am Iw Bang.

Geraint Løvgreen

Hen drefn

Hen drefn, hen drafod,
hen dorri ar yr un cyfamod,
hen syrthio rhwng y pared a'r plu,
hen dân mewn hen dŷ:

hen dro, hen drueni,
hen alw am gyfiawnder 'leni,
hen friw'n hir yn mendio a mynd,
hen ffrae 'fo hen ffrind:

hen bader, hen bennill,
hen frwydyr 'does neb yn ennill,
hen lwybrau'n cael eu troedio o hyd,
hen lôn i le'n byd:

hen gân, hen geiniog,
hen gnoi lawr yng ngwaelod fy stumog,
hen gi'n hercian adre ei hun –
be ddaw o'r hen ddyn.

Hen gân ydi hon y bu Iwan yn ei chanu droeon mewn nosweithiau tafarn yn y Gogledd. Hwyrach mai'r gair "hen" ar ddechrau pob llinell (heblaw'r ola…) sy'n gwneud i mi feddwl am hen benillion. Hen gân rydw innau wedi'i chanu mor aml dros y blynyddoedd, ond hen gân sy'n debyg iawn i un o ganeuon olaf Iwan, "Treginnis". Hen gân sydd mor broffwydol nes bod yn hollol ysgytwol.

Geraint Løvgreen

Ffarwelio

Rhwng Menlove Avenue a Penny Lane,
ar y tir cyfarwydd rhwng deigryn a gwên,
lle mae'r alaw yn ifanc a'r cefndryd yn hen
fe ddywedais i ffarwél:

roedd oglau Lerpwl fel gwin ar y gwynt,
a finnau'n difaru na ffarweliais i'n gynt
a rhoi fy mendith iddo wrth fynd ar ei hynt
a'r cymylau du yn hel:

drwy byrth urddasol capel Heathfield Road
codai rhai o'r emynau hynaf sy'n bod
yn llawn o barch a hiraeth a chariad a chlod,
ac wrth agor yr ymbarél

ar groesffordd Menlove Avenue a Penny Lane,
tu ôl i'r dagrau roedd yna ambell i wên,
a rhaid oedd cefnu ar y ddinas a'i hacenion clên,
o leiaf am sbel.

(Medi 2008)

Pan gwrddais i ag Iwan gyntaf roedd o newydd gyrraedd y Coleg yn Aber ac wrth imi sgwrsio efo'r bachgen difyr 'ma o Fangor mi ffeindion ni bod gennon ni ambell beth yn gyffredin. O'n i'n dod o'r Drenewydd ac roedd o wedi'i eni yng Ngharno; mi fu ei Wncwl Lynn yn athro ysgol gynradd arna i yn Wrecsam; roedd ganddon ni'n dau deulu yn Lerpwl a hoffter at y ddinas a'r Beatles yn enwedig. Ar ôl iddo fod mewn angladd teuluol yn Lerpwl yn 2008 a sylwi ar y strydoedd enwog o'i gwmpas mi sgwennodd eiriau "Ffarwelio", a'u rhoi i mi gan nodi y byddai rhyw naws Beatlaidd yn gweddu i'r gân. Yn addas iawn, y tro cyntaf inni ei chanu oedd yn noson lansio llyfr Bet Jones, "Gadael Lennon".

Geraint Løvgreen

Gweithio cerddi

Daeth Iwan atom i Adran y Gymraeg, UWIC Cyncoed, Caerdydd yn Ebrill 2003 i gynnal gweithdy barddoniaeth gyda chriw o fyfyrwyr. Roedd hi'n ddiwrnod braf o wanwyn yma – awyr las, gwennol ar y wifren, ôl awyren ar yr wybren, ond dyma'r cyfnod pan oedd yr Unol Daleithiau a Phrydain newydd uno i oresgyn Irac a chwaraeodd Iwan yn glyfar iawn â'r cysyniad Ffŵl Ebrill/Un wennol ni wna wanwyn yn y gerdd isod.

Nia Richards

Ffŵl Ebrill

Ar fore o wanwyn a'r blagur
Yn agor, mae tynerwch yr awyr
Yng Nghyncoed yn rhyfedd o bur:

Un wennol ar y wifren
Yn chwilio am fflach pluen wen
Ei chymar yn y ffurfaen:

Yn rhywle tu hwnt i'r gorwel
Mae cymylau a therfysg yn hel
Yn y gwres yn gryndod tawel.

Iwan Llwyd a myfyrwyr UWIC,
7fed Ebrill, 2003

Hefyd, dros ginio ysgafn yn nhafarn y Traveller's Rest, Caerffili, lluniodd yr englyn hwn ar yr un thema:

Dwy Wennol

Ar wifren, uwchlaw'r gwenwyn – a'r galar,
     yn ddirgelwch addfwyn,
    y daw eu trydar, a dwyn
    i ninnau ddarn o wanwyn.

Iwan

Oni ddaw cawodydd haf
yn greulon â'r gair olaf,
c'lwyddau fydd yr hafau hyn,
annidwyll o hyd wedyn.

Roedd eleni'n driw, Iwan,
geiriau Mai yn ddagrau mân
er bod i'w weld stribedyn
ar ôl o'r haul hwyr ei hun.

Os wyt yno'n barddoni,
am dro drwy dy heno di
y down ni, er duo'n haf,
a dal y machlud olaf.

Rhys Iorwerth

Llun: Robat Gruffudd

Canllaw hollgynhwysol i alluogi gweithwyr a chyfieithwyr Cymru i oroesi ym myd cyhoeddus yr unfed ganrif ar hugain

Yn ei golofn farddol wythnosol yn y Cymro, mi arferai Twm Morys gyfeirio'n eithaf rheolaidd at 'Gyfrol Crapeiriau Iwan Llwyd' wrth ddeddfu ynghylch amhriodoldeb ambell air neu ymadrodd erchyll oedd rhywsut wedi ymddangos yn ein hiaith. Yn sgil mwy nag un swydd a gefais ers gadael y coleg, roeddwn i'n digwydd bod yn weddol gyfarwydd â'r ieithwedd jargonllyd sy'n gallu nodweddu cymaint o'r byd cyhoeddus a'r byd cyfieithu Cymraeg, ac mi allwn i uniaethu efo safbwynt Twm ac Iwan yn llwyr. Clywed sôn felly am y gyfrol fondigrybwyll yr oedd Iwan yn ei chadw a roddodd y syniad am y gerdd hon, a ysgrifennwyd ar gyfer

stomp eisteddfod Caerdydd yn 2008. Mi fyddai'n dda gwybod faint ohoni
y byddai Iwan wedi'i gynnwys yn y llyfr chwedlonol gwreiddiol...

Os wyt ti'n swyddog ymgynghorol
neu'n un o staff llywodraeth leol,
yn was sifil uwch-weithredol
neu'n gyfieithydd asiantaethol,
wrth wneud dy waith, dilyna'r rheol:
mae'n bwysig bod yn gydgyfeiriol.

Pan fyddi'n cynnal trafodaethau
neu'n adrodd yn ôl dy ganfyddiadau,
yn llunio rhestr o ddeilliannau
neu'n rhagamcanu sgil-effeithiau,
bydd yn ddoeth, cans i dy eiriau
y bydd adborth ac allbynnau.

Yng nghyd-destun cyfathrebu
ac yng nghyswllt gwasanaethu,
mewn perthynas â darparu
ac yn nhermau ymgysylltu,
bydded glir wrth ysgrifennu –
o ran hyn, ac yn sgil hynny.

Cofia feddwl yn fframweithiol
mewn strategaeth drosfwaol;
ffurfia strwythur mecanweithiol
i'r adrannau isranbarthol,
a bydd yn amlddisgyblaethol
mewn glasbrint gwyrdd gwrthwahaniaethol.
Pan ddaw'n adeg i feincnodi
swm o arian, rhaid rhagnodi
yna mapio a negodi
ac arfarnu wrth fewnoli
yr holl broses resymoli –
yna hoe, ac ymgynghori.

Os bydd angen cyfranogiad
ar ffurf contract cydgysylltiad,
neu hysbysu cyfathrebiad
sy'n ffocysu ar ymlyniad,
dichonoldeba bob ardrawiad
ddaw yn sgil dy ragweithrediad.

Ac i gloi, o wir bwysigrwydd
er mwyn iti gael hapusrwydd,
cym' berchnogaeth lwyr oherwydd
dyw hawliad di yw dy effeithiolrwydd
neu, yn wir, dy effeithlonrwydd.
Ac os na fydd hynny'n digwydd
jyst gweddïa ar yr arglwydd...

Rhys Iorwerth

Yng Ngŵyl Maldwyn 2010

Mae rhai o'r atgofion gorau sydd gen i am Iwan yn deillio o rannu llwyfan efo fo mewn talyrnau, ymrysonau, stompiau a gigs. Dwi'n cofio paratoi at un o fy ymrysonau cynta' erioed yn y Babell Lên, os nad y cynta' un, a phawb ohonom ni o dîm y Deheubarth yn ddim ond hogiau ifanc ar y pryd. Dwi'n meddwl mai yng Nghasnewydd yn 2004 oedd hynny. Mae gen i gof clir iawn o gamu ar y llwyfan yn dra bregus ar ôl anturiaethau'r noson cynt ond yn hynod o nerfus ar ben hynny. Fanno'r oedd Iwan, fodd bynnag, mewn hwyliau da ac yn gweiddi rhyw bethau doniol fel 'smokin'!' a 'rock 'n' roll!' ar y Meuryn, ac yn ein cyfarch ni i gyd fel hen ffrindiau a gwên fawr groesawgar ar ei wyneb. Diolch i Iwan mi giliodd y nerfusrwydd yn eitha' sydyn.

Nid nad oedd Iwan o ddifri am ei farddoniaeth. Mae gen i gof da arall am gystadlu yn ei erbyn o mewn rhyw dalwrn neu'i gilydd, a'n tîm ni wedi dod yn fuddugol. Mi es i'r lle chwech yn syth ar ôl yr ornest a fanno'r oedd Iwan yn ysgwyd ei ben ac yn methu'n lân a deall sut yn y byd y gwnaethon nhw golli. Cymaint oedd ei anghrediniaeth, dwi'n eitha' siŵr na sylwodd o arna' i'n sefyll wrth ei ochr. Roedd hi'n 'rant' o'r radd flaenaf yng ngwir draddodiad y bardd a gafodd gam!

Yng Ngŵyl Maldwyn wedyn, yn y Cann Office yn 2008, mi gefais i'r fraint o fod ar yr un tîm ag Iwan yn yr ymryson, a phawb ohonom ni'n

Mi es i'r lle chwech yn syth ar ôl yr ornest a fanno'r oedd Iwan yn ysgwyd ei ben ac yn methu'n lân a deall sut yn y byd y gwnaethon nhw golli. Cymaint oedd ei anghrediniaeth, dwi'n eitha' siŵr na sylwodd o arna' i'n sefyll wrth ei ochr. Roedd hi'n 'rant' o'r radd flaenaf yng ngwir draddodiad y bardd a gafodd gam!

cyd-sgwennu efo'n gilydd. Dyna be' oedd gweld gwir feistr wrth ei waith. Mi fydd o'n brofiad a fydd yn aros yn y cof am sbel, fel sawl noson arall yng nghwmni Iwan boed yn ŵyl gynganeddu, yn eisteddfod neu'n trio drymio i fand Geraint Løvgreen o dro i dro.

Yn wir, roedd gwybod y byddai Iwan yno yn rheswm dros edrych ymlaen at y digwyddiadau hyn fel y bydden nhw'n dod o flwyddyn i flwyddyn. Pan gynhaliwyd Gŵyl Maldwyn ym mis Mehefin 2010, prin bythefnos oedd 'na ers ei farw. Roedd y bwlch mor llydan â drws y Cann ei hun.

> Hyd dir o hyd, mi awn am dro o ŵyl
>   i ŵyl, ond diwyro
>   o anodd fydd, hebddo fo,
>   heb i'r hafau ein brifo.

Rhys Iorwerth

Dychwelyd i Sycharth

Un o'r teithiau cofiadwy a gefais yng nghwmni Iwan oedd *Syched am
Sycharth* i ddathlu rhyfel annibyniaeth Owain Glyndŵr. Cyfansoddodd
Iwan ddilyniant o gerddi cyffrous iawn am Owain, yn llawn edmygedd
o'i gyfnod ar herw yn ogystal ag yn dathlu'i fuddugoliaethau

Un bore Sadwrn ar daith Owain ym Medi 2000, mi aethom i
weld safle llys Sycharth. Mae'n anodd cael o hyd i'r lle drwy wead o
gymoedd coediog ar y ffin – ond dyma gyrraedd yno yn y diwedd.
Roedd Iwan wedi dod â photel o win coch a gwydrau plastig efo fo yn
benodol ar gyfer yr achlysur. Doedd dim posib galw heibio'r llys lle
nad oedd syched heb gymryd llymaid go gadarn. Wrth godi'n gwydrau
i gynnig llwncdestun i'r lle ac i'r cof am Owain, dyma bry gwyrdd
llachar yn glanio yng ngwydryn Iwan. Roedd Iwan wedi gwirioni,
yn meddwl bod hyn yn arwydd o ryw fath. Yn ôl Iwan, efallai mai
ailgnawdoliad Iolo Goch neu Crach Ffinnant oedd y pry!

Rhyw fath o bry cachu oedd o, ond roedd o'n bry hardd iawn yng ngolwg Iwan – mi wnaeth ei achub rhag boddi yn y gwin, ond nid yn ddigon cyflym i achub y pry bach rhag meddwi'n slwtj. Mi fu'n ei nyrsio ar gledr ei law am sbel, y pry yn rhy feddw i hedfan, yn dal yr haul fel carreg emrallt ar law Iwan.

Mi aeth yn y diwedd, ac mi aethon ninnau oddi yno i lawr y ffordd am Lanfyllin, gan basio tafarn y Green Inn. Wel, roedd Iwan yn dawnsio – roedd enw'r dafarn yn ei atgoffa am y pry a'r pry yn ei atgoffa am 'ar dop bryn glas'. Roedd yn rhaid rhaid mynd yno am beint i ddymuno iechyd da i'r pry. Doedd 'na ddim Cymraeg yno nes i ni fynd i mewn, ond roedd Iwan wedi tanio rŵan a chwedl fawr yn tyfu. Ar dop ein lleisiau ar draws y byrddau cinio, roeddan ni'n gweu mabinogi faith am y pry gwyrdd yn mynd adra yn feddw a Mrs Pry yn rhoi blas ei thafod iddo fo. Iwan yn chwerthin fel taran mewn casgan wrth weld y ddrama:

Mr Pry: Hic!

Mrs Pry: Ti'n racs! A tydi hi mond amsar cinio.
             Nes i mond dy yrru di allan i nôl tamad o
             gachu at y Sul – sbia olwg arnat ti. A ti
             wedi dod adra heb y cachu! Be neith y
             pryfaid bach am ginio dydd Sul rŵan…

Mr Pry: Hic!

Roedd o wrth ei fodd wrth weld caseg eira o stori fel hyn yn tyfu ar ei thaith.

Fis Mehefin roeddwn i yn ardal y Cann Offis yn mwynhau Gŵyl Maldwyn, gŵyl roedd o wedi bod yn ei elfen ynddi. Mi es i chwilio am Sycharth ar y bora Sadwrn. Doeddwn i ddim wedi bod yno ers deng mlynedd. Roedd hi yr un mor anodd cael o hyd i'r hen fryn glas, ond roeddwn i'n dod o gyfeiriad gwahanol y tro hwn a phan drawais i ar y Green Inn, mi wyddwn nad oeddwn i'n bell iawn.

Mae'n werth gneud y daith – dyna un o'r pethau mae Iwan wedi'i adael ar ei ôl. Tra 'dan ni'n gneud y daith ar drywydd yr hen straeon a'r hen atgofion a thra 'dan ni'n dal i gael ysbrydoliaeth i greu caneuon newydd, mae 'na obaith. Tra bod 'na fynd, mae 'na fywyd.

Yn ôl i Sycharth

I'w lys, trafferthus yw'r lôn:
heb ryddid, heb arwyddion.
Anodd cael – drwy'r cefnffyrdd cudd,
drwy'r caeau – dir y cywydd.

Down am fod rhaid mynd yno,
rhannu gŵyl â rhyw hen go';
lliwiau'r bryniau, llwybrau'r brain,
ânt â ni at win Owain.

Rhaid mynd, ar flaenau traed Mai –
er mwyn cywyddwr Menai –
mynd drwy ogof y cofio
draw i'r haul ar ei fydr o.

O gyrraedd bryn y gweiriau:
dyma gamfa a rhyw gae;
dyna holl freuddwydion hwn –
ai fel hyn y diflannwn?

Ond nid oes glicied, wedyn,
ac fel angel, dychwel dyn
yn ôl drwy'r hyn na weli.
Ei obaith oedd dy daith di.

Myrddin ap Dafydd

Y Boregodwr

Mi grwydrais i bob congl o Gymru yng nghwmni Iwan i weithio efo criwiau o blant: i garchar ym Môn, at gerrig hirion ym Mhenfro, i chwarel yn Arfon a choedwigoedd ym Morgannwg a Gwent. Ond cyn y sesiynau, roedd yn rhaid cyrraedd yno. Rhywbeth i'w ddioddef er mwyn cyrraedd ydi taith i mi yn amal iawn. Yn arbennig os ydi honno yn daith mewn fan. Ar lôn droellog. Drwy ganolbarth Cymru. Ym mis Tachwedd. Gan gychwyn am bump y bora.

Os oedd argoel o daith i'r canolbarth neu'r deheubarth, byddai Iwan yn gyffro i gyd ac yn awyddus i fynd y noson cynt neu deithio ar y trên – unrhyw beth i ymestyn cyfnod ac antur y siwrnai. 'Na, mi awn ni yn y fan, ac mi gychwynnwn am bump y bora,' fyddai fy marn i fel arfer.

Y drefn oedd bod Iwan yn dod i aros aton ni y noson cynt. Gadael Llwyndyrys dywyll ar ôl llusgo Iwan o'i wely i'r fan a fawr o eiriau rhyngom oherwydd yr awr oedd hi a bod 'na hen law mân ar niwl y môr a damio yn ei dymor a phethau felly. Mi steddai ac mi gaeai'i lygaid i bendwmpian (nid fo fyddai'n dreifio gyda llaw). Finnau yn trio hoelio fy sylw ar y slwan laith ddu oedd yn arwain am y bryniau ac i lawr tua'r

de. Rywle tua'r Ganllwyd un tro, dyma fo'n agor ei amrannau crwban yn ara deg, a gwneud llygadau bach drwy'r ffenest i weld lle'r oeddan ni a nodio; sbiad drwy ffenast ochr y fan a nodi. Wedyn dyma fo'n troi ataf i a mwmian yn felys: 'Mmmm, mae'n dda bod yn ôl ar y lôn.'

Finna'n meddwl wrthyf fy hun, Callia, nei di!

Iddo fo, roedd y daith ei hun yn bwysig. Nid rhywbeth i'w chael o'r ffordd er mwyn cyrraedd oedd hi. Nabod y ffordd ydi gwybod y cyfeiriad. Mae ganddo gerdd soniarus iawn yn disgrifio taith chwe chan mlynedd yn ôl gan bedwar cynrychiolydd o'r cwmwd lle'r oedd yn byw ynddo yn Nhai Newyddion, Tal-y-bont i lawr i Fachynlleth i Senedd Owain Glyndŵr.

Fe ddois o gadernid
hen gwmwd Llanllechid,
a'r gwrychoedd dan wyddfid
a'r llechi'n las
ar lethrau Braichmelyn
a Llidiartygwenyn,
a'r Ogwen drwy'r rhedyn
yn rhedeg ei ras.

O'r un cadernid a chyda'r un ras yr aeth Iwan ar ei daith.

Myrddin ap Dafydd

Ifan

Mae sôn bod meibion y mans
O oes i oes yn niwsans.
O blwyf i blwyf maent yn bla
A'u hawl yw gwrthryfela.

Eu hawl hwy yw dod i'r wledd
Yn filain eu gorfoledd,
A rhoi her â'u chwerthin rhwydd
Yn oriau'r dwys ddistawrwydd.

Wedi awr dy angau di
Arhoswn yn y tresi.
Aeth glewder ein menter mwy
Yn lewder anweladwy.
Tir llwyd diantur yw llên,
Tŷ taeog yw tŷ awen.
Ein rhan fu dilyn yr haid
A gollwng cledd y gwylliaid.
Y reddf yw byw a gwrhau
I anwylo'r rhigolau.

Ond ni all dyrnod y Ne'
Hawlio dy gân i geule.
Ni all un teyrn ei dryllio
Na chloi cerdd na chwalu co
Am steddfodau'r dyddiau da,
Na hawlio'r rebel ola'.

Yn daer, yn driw, byddi di,
Yn anniddig dy weddi,
Yn fardd o Fynwy i Fôn,
Yn hyfrydlais afradlon,
Yr her iach, yn chwerthin rhwydd
Yn oriau'r dwys ddistawrwydd.

Peredur Lynch

Y tymor a'r tywydd

Mae'r tywydd a'r tymhorau yn cael lle amlwg yng ngerddi a chaneuon Iwan. Sylwodd un darllenwr craff fod tri mis ar ddeg rhwng dyddiad pob cerdd yng nghasgliad cerddi'r goron yng Nghwm Rhymni a cheisiodd gael Iwan i ddadansoddi'r rheswm dros hynny yn y drafodaeth ar y Cyfansoddiadau yng ngwesty'r Emlyn yn Nhan-y-groes. Osgoi'r cwestiwn yn ei ffordd swil arferol a wnaeth Iwan, ond erbyn hyn rydw i'n eithaf siŵr mai dyfais oedd y tri mis ar ddeg i symud flwyddyn ymlaen, ond hefyd i symud un mis ychwanegol er mwyn cael cymeriad y mis yn gefndir i bob cerdd yn ogystal.

Does 'na ddim byd yn syml yng nghylch y flwyddyn – ym Medi mi gewch chi frathiad o'r hydref a'r gaeaf hyd yn oed, ond mi fydd 'na liwiau haf a llygedyn o haul cynnes o hyd hefyd. Mewn marwolaeth ym myd natur, mae 'na egni creadigol – mae'r olwyn yn dal i droi.

Rydw i yn gredwr cryf yn y te angladd a rhyw fath o de angladd ar olwynion oedd y daith i gofio am Iwan. Mewn te angladd, mae'r chwithdod yn llacio, mae pobl yn dechrau sgwrsio, yn dechrau dweud straeon – a chyn bo hir, bydd yna sŵn chwerthin unwaith eto. Ar y daith, clywsom stori am un o'n cyfeillion yng ngogledd Maldwyn oedd wedi cael ei weld yn gwisgo siwt ar stryd y dre.

'Ti'n edrych yn smart iawn!' tynnodd un o'i gydnabod ei goes.

'Wedi bod mewn cl'igieth ydw i,' atebodd yntau. 'Cl'igieth' yw'r gair am angladd neu gynhebrwng yn nhafodiaith Maldwyn. 'Well i mi fynd adref neu mi fydd y wraig yn trin.' 'Cega' neu 'gadw stŵr' ydi ystyr y 'trin' yn y fan yma.

'Taw â sôn,' meddai'i gydnabod. 'Dim ond hanner awr wedi chwech ydi hi – ti ddim yn hwyr iawn.'

'Ie, ond ddoe oedd y gl'igieth,' atebodd dyn y siwt.

Y Medi hwnnw, ro'n i'n dod drwy Gapel Curig ar ddiwedd y dydd ac mi welais i olygfa anarferol. Ffermwr Dôl Gam yn tynnu llo mewn cae uwch y ffordd – roedd hi wedi mynd yn wasgfa, mae'n rhaid. Roedd o wedi gadael ei fan efo'i goleuadau oren yn fflachio, rhoi naid dros y clawdd ac roedd o fel rhyw Herciwles o'r hen oes yn tynnu coesau'r llo efo'i holl nerth, hwnnw hanner allan a'i ben i lawr.

Tynnu Llo

Mae'r darfod yn dew, y pelydrau'n isel,
Rhedynnau gwaed yn crino ar y garth,
Mae Medi'n gadael ôl ei fawd ar y ddeilen
A'r cysgodion hirion yn chwedleua yn y tarth.

Marwaidd, ond melys, ydi oglau'r cloddiau –
Mae'r haf yn gwrthod ildio'i faes yn hawdd;
Ar ffordd yr A Pump, dau olau 'Cym Bwyll' yn fflachio
A pharcio brys fan Dôl Gam yn nhin y clawdd.

Dan liwiau'r llofrudd yn y derw a'r ffawydd,
Mae gŵr wrth goesau'r groth yn llewys ei grys;
Mae'r geni'n dynn, a choch yr hanner esgor
Yn llifo'n gymysg â rhedyn y ffridd a'r chwys.

Arafwn, â'r machlud yn ein llygaid, a dyna pryd
Y tynnir, yn erbyn yr haul, lo bach i'r byd.

Myrddin ap Dafydd

Iwan

Pan ddaeth yr alwad ffôn gyda'r newyddion trist, doedd dim posib dweud dim. Yna roedd y ffôn yn canu eto a rhywun o'r cyfryngau yno isio imi ddweud rhywbeth.

Wrth ddarllen cerddi Iwan eto i geisio chwilio am ei gwmni, roedd y gerdd a sgwennodd i Uwchmynydd yn 2008 yn gwrthod gollwng.

> Deud dim sydd hawsaf imi;
> trin iaith sy'n haint arna' i
> â dwndwr ei fudandod
> ym mêr holl esgyrn fy mod.
> Pan fo pob cofio yn cau
> ar fedd gŵr, derfydd geiriau.
>
> Y gŵr talog ar glogwyn,
> led troed o berygl y trwyn;
> un huawdl uwch sŵn ewyn
> a sant gwyllt uwch y Swnt gwyn
> ar gerrig ffyrnig ei ffydd
> â glaw Manaw'n Uwchmynydd.
> Di-ofn o drwst dyfnder oedd –
> rhôi'i grys ar graig yr oesoedd.
> Enwai wŷr awdl Aneirin,
> parhâi i weld y barcud prin
> yng Nghwm-hir, yng nghymeriad
> y tai lôn a phlant ei wlad.
>
> Bu'n mabsanta'n y llannau, – drwy Wynedd,
>   drwy ynys ei dadau;
> adroddai glonc eu ponciau, – o dre i dre'n
>   hel straeon eu ffeiriau

a'r tai miri a'r tymhorau – a aeth
      ymhleth ynddo yntau;
câi wleddoedd ym mol cloddiau – a derw
      Glyndŵr yn neuaddau
a dau fyd ei dafodau – yn cynnig
      acenion i'r lluniau
a gwyliodd doriad y golau'n lledu
      dros dir llwyd ei famau.

Buom yn teithio'r bröydd,
yn rhoi i win fesurau rhydd;
torri gwe y bore bach
a'i wau mewn oriau hwyrach.
Dod ar bennill drwy Banwy,
Rhymni, y Gelli a Gwy
a byw ar chwedlau Buallt.
Y fo oedd Guto pob gallt,
gaucho y Merlot a'r mwg
ym mro Gwaun a Morgannwg.

Yr het, y llaw fawr,
y chwerthiniad cawr
      a'r dagrau cariad,
ac uwch pob dibyn
mi ganai mai hyn
      oedd ei ddymuniad:
bod beirdd sychedig
y ffyrdd bach cerrig
      yn byw i'w curiad
wrth hel a rhannu'r
gro gwyn a'r llwch du
      o gymydau'r stad
gan glywed alaw

Mai yn nhwll y glaw
      wrth fydryddu'u gwlad.

Lleidr yw'r bedd a llwyd yw'r byd.
Heb Iwan, aeth y bywyd
a anadlodd i'w genhedlaeth.
Byrddau'i gyffroadau ffraeth
a aeth, a'i wawch mewn gwefr wrth hel
geiriau o des y gorwel.

Garw i mi y grym oedd
yn wenwyn yn ei winoedd
a'r hen graig yn troi'n gregyn
a graean o dan y dyn;
ofnwn naid y Sauvignon
a môr niwloedd y meirwon.

Hanes nad yw mwy yno – ydi'i gorff;
      Cadw gŵyl yw cofio
    stori'r daith ar ei stryd o:
    y dyn yw'r chwedl amdano.

Y ddeufyd heddiw 'ddofwyd
i wneud lle i enaid y Llwyd.

Y mae'r hen afon yn arw'i thonnau
a'i dŵr bellach yn ddyfnder o byllau,
ond af â'm sgrepan ar hyd ei glannau
eto i gyhoeddi pont o gywyddau
ac er mwyn y gŵr a'r mannau di-stŵr,
er dued y dŵr, dod o hyd i eiriau.

Myrddin ap Dafydd

Y Deryn Du

Y deryn du a'i bluen sidan
A'i big aur a'i dafod arian,
Mi est ti'r dyffryn o fy mlaen
Yn gynt na'r bwtsias o ledar Sbaen.

A gwyn eu byd yr adar gwylltion,
Sy'n cael mynd y ffordd a fynnon',
Weithiau i'r môr, ac weithiau i'r mynydd,
A dod adra heb ddim cerydd.

Y deryn du fu'n rhodio'r gwledydd,
Tydi a ŵyr yr hen a'r newydd:
O, rho wybod pryd y caf i
Ddod i'r dyffryn atat ti...

Twm Morys

Gitâr

Rhodiodd i Eldorado – trwy'r giât aur
Gitâr yn ei ddwylo
Daw yn gryf o dan y gro
Y tonau o hud heno.

Joan Thurman

Gitâr Iwan Llwyd

Heno, ar ben fy hunan – yr oedaf
O raid, am mae mudan
Yw miri'r gerdd, ac mae'r gân
Yn dawel nes daw Iwan.

Dai Rees Davies

Y daith olaf

Dyn ar daith oedd Iwan Llwyd. Doedd pellter ddim yn ffactor. Doedd prinder arian byth yn rhwystr. Doedd neidio ar fws neu drên neu awyren ddim yn broblem. Roedd llenwi ei rycsac a thaflu cês y gitar ar ei gefn bob amser yn antur. A doedd amser jyst ddim yn cyfri'.

Ar daith bywyd, mi gariodd nifer o bethau gydag o. Mi aeth â'i eiriau i bob rhan o Gymru, a'u dychwelyd adre' yn ganeuon. Mi fu'n rhamantu, fel ei arwr, T. H. Parry-Williams, yn Ne America. Mi gariodd ei angerdd tuag at yr iaith a hanes Cymru ym mhocedi dyfnion y siaced ledr. Ac mi gysgododd nifer o gyfrinachau dan gantel ambell un o'i hetiau.

Ym mhob stop ar y daith, mi fu'n clustfeinio ar sgyrsiau teithwyr eraill. Mi wnaeth nodyn o bob sgwrs ddiddorol yn y llyfr bach du a gariai ym mhoced din ei jins. Mi glywodd nifer o'i ddramâu yn cael eu perfformio ar blatfforms stesion ymhell cyn eu creu. Yna, gyda'r papur newydd dan ei gesail, mi frasgamodd i'r lle nesa' er mwyn cael llonydd i ymrafael â'r croeseiriau a fyddai'n ei boeni ar adegau.

Byddai'n ymweld â Môn ei dad a Cheredigion ei fam yn aml – weithiau, heb symud o far ym Mangor. A beth bynnag a ddywedai am fwynhau byw'n ddiwyneb mewn dinas, ac am roc a rôl ei agwedd at y diwylliant Cymraeg a Chymreig, roedd gwybod am ei wreiddiau yn bwysig iddo. Efallai mai dyna ydi bod yn rhydd.

Y tro olaf i ni gyfansoddi efo'n gilydd oedd ar gyfer talwrn Eisteddfod Môn eleni. Gan eistedd i lawr i ysgrifennu ben bore, roedd ganddon ni gnwd da o gynhyrchion erbyn amser cinio. Mae'r englyn cynta' hwn yn cyfeirio at gynhesu byd-eang, ond mae ei esgyll (y drydedd a'r bedwaredd linell) wedi magu arwyddocâd newydd yr wythnos hon:

O begwn i begwn byd, – i wennol
    mae'n anodd dychwelyd
  am mai oer yw Mai o hyd
  a'r haf yn eira hefyd.

Ac yna, yr englyn ola' hwn, sy'n crisialu'r teithiwr eto, ond a ddygodd wynt o enau'r gynulleidfa yn nhalwrn Llangefni ar Fai 11 oherwydd mai Iwan, ac nid fi, a'i darllenodd ar y noson:

Pacio'i gês. Pacio'i gusan. – Hyn i gyd,
    ac mae'n gadael rŵan.
   Allwedd, a cherdded allan.
   Dyna yw mynd yn y man.

'Fi ydi fi,' meddai droeon, gan dderbyn fod yn ei rycsac lwyth trwm o brofiadau dieisiau hefyd. Ond y rycsac hwnnw oedd y prawf iddo fod ar y daith. Iddo hel ei gerddi fel swfenirs. Ac i ninnau gael eu rhannu wedi iddo fynd ar ei daith ola'.

Karen Owen

Iwan

Siliwét yn nrws salŵn
oedd-o. Am hynny, gwyddwn,
yn seiadau'r golau gwael,
ei fod yn dod i adael;
dôi o'r haul a'i ledar o
â nod y diwrnod arno.

Dan gantel isel y wên
mae gwae. Mae mwg ei awen?
Mae pianydd? Mae cwmpeini?
Mae iaith? Mae blŵs? Ac mae hi,
y ferch hardd? Lle mae barddas
a holl fêr ei linell fas?

Hongian mae pob cynghanedd
yn nrws y bar, drws y bedd;
heddiw, aeth i'w lonyddwch,
yn ôl i'w haul, hyn o lwch.
Wedyn, yng ngwydryn fy nghân,
be' 'di bywyd heb Iwan?

Karen Owen
Cann Offis, Mehefin 12, 2010

Iago ac Iwan

Ar y noson wedi dod o hyd i gorff Iwan yn ei fflat ym Mangor, ro'n i'n gwarchod fy nai, Iago, yn Aberystwyth – y naill yn methu â deffro, a'r llall yn methu â chysgu.

Yn ei grud, mae Iago'r hil
yn anniddig o eiddil,
a'i fodryb sydd heb fedru
si-lwli-lw'r nosau lu:

Ar elor Bangor mae'r byd
a'i brifardd briw o hefyd,
crwydryn sy'n cario adref
eiriau'r iaith yn ei farw ef:

A gwnaf, gofynnaf innau
i'r un duw sy'n rhannu dau,
i ba obaith, ba wybod,
fy neffro i beidio â bod?

Karen Owen
Mai 29, 2010

Siarad yn y nos

Mi gysgais ar lawr Iw Bang yn y Gelli Aur, George Street, Aberystwyth am bron i flwyddyn gyfa. Mi gawsom seiadau difyr yn y tywyllwch hwnnw ac am flynyddoedd wedyn, bob tro roedd Iwan yn 'y ngweld i, mi fydda yn sibrwd yn 'y nghlust, 'Dwi'n dal yn cofio y bobol sy'n siarad efo fi yn y nos.' Mi ddaeth yn un o'i 'one-liners' enwog.

Mi oedd Iw Bang yn aml yn adrodd y stori am Bob Dylan pan ofynodd rhywun iddo beth oedd y gwahaniaeth rhwng cerdd a chán. Ateb Bob oedd, 'If it's a song – you can sing it, if it ain't it's a poem!', ac un o'i gryfderau mwyaf oedd ei allu i wneud y ddau uchod yn aml ar yr un pryd, ac mi fydda adrodd cerdd i gyfeiliant gitar neu biano yn orchest iddo. Dyna pam y gwnes i sgwennu'r isod i'w hadrodd i gyfeiliant 'Chelsea Hotel' Leonard Cohen. Diolch i Løvgreen ar y piano a Nows ar y gitar pan ddarllenais i hon yn 'Noson Iwan' y Duke of Clarence 05.11.10

Yn adlewyrchiad y gwin

Yn adlewyrchiad y gwin mi welai'r wên flin
yng nghalon afallon cyfeillach,
yn gwirioni'n hapusrwydd perthynas perffeithrwydd
a'r gallu i rhannu cyfrinach.
Ac mi wela'i di'n cysgu ar wely sawl fory
a'th chwyrnu yn gytgan i'r enaid –
dy freichiau brawdgarwch yn goflaid dedwyddwch
a'r hiraeth yn gusan mor danbaid.

Paid â rhedeg i ffwrdd. Paid cyflymu dy gam,
paid â dianc, paid â dianc i ffwrdd –
da ni ddim isho'i ti ddianc i ffwrdd.

Ym môr y seiadau ac yng nghân yr eiliadau,
yn nhonnau dy iaith ar y stryd,
ym miri'r ffrwydriadau oedd yn amlder y dagrau
mi agoraist dy enaid i gyd.
Ond argoelion dirgelwch ddaeth i liwio'r tywyllwch
wrth i'r geiriau leihau tua'r gorllewin,
ac wrth i'r machlud ymgerdded tuag at ei gaethiwed
mae'n dallu, yn dallu'r pererin.

Paid â rhedeg i ffwrdd. Paid cyflymu dy gam,
paid â dianc, paid â dianc i ffwrdd –
da ni ddim isho'i ti ddianc i ffwrdd.

Mae hi'n hanner di un a does dim ar ôl ond y llun
a'r geiriau, fel crud am y gwagedd;
ac fe ddaw hanner di dau a'r bar wedi cau……
wedi cau am fod lle i drugaredd.

Paid â rhedeg i ffwrdd. Paid cyflymu dy gam,
paid â dianc, paid â dianc i ffwrdd –
da ni ddim isho'i ti ddianc i ffwrdd.
Da ni dy isho. Da ni dy isho di'n arw.
Ti'm di mynd. Ti jest wedi marw.

Ynyr Williams

I'm from these parts

O gofio am gân Iwan ac am ei gysylltiadau â bro Gwesty'r Emlyn.

Odw, dafarnwr, 'rwy'n dod o'r dalaith,
bro'r hud a lledrith a fu'n Ddyfed unwaith,
ac fel y llanw dychwelaf eilwaith
heibio'i Ben Cribach yn fôr o dafodiaith,
yn Ddafydd ap Gwilym, yn Bwyll neu Bryderi,
a'r gân adanaf yn Lan Medenni,
i ddilyn y llwybrau difyrraf, anunion
a ganwyd i fod ar gitarau'r galon
pan oedd geiriau'n llifo a lleuadau'n llawnion,
pan oedd ddoe a heddiw yn un â'i gilydd,
eleni yn llynedd ac yfory'n drennydd.
Ac yn y distawrwydd di-eiriau, llafar
rhwng dau wrth y bar llefarai'r ddaear
am gampau cŵn, am wanwynau cynnar,
am hen, hen dylwyth, am ben y dalar.
'Rwyn dod o'r dalaith, ac 'rwy'n medru clywed
clec y gynghanedd wrth iddi gerdded
o dalwrn i dalwrn, o ddosbarth nos i eisteddfod
a deugae cymdogaeth yn gerdd ar y tafod,
yn Fiwla, yn faled, yn ynys bellennig,
yn hengerdd turinga, yn deithiau'r dychymyg,
yn Gatraeth yr Hen Ogledd, yn Dde Amerig,
a minnau yn glerwr a chanwr, cywyddwr a chwardd,
ar y cei ym mhob harbwr yn forwr o fardd,
a phan ddaw hi'n adeg i finnau i fynd
fe ddwed henwr o'r gornel 'Ffarwel i ti, ffrind.'

Idris Reynolds

Ar daith drwy'r geiriau dethol – dilynaist
    lawenydd yr heol
    cyn troi adre'n foreol
    tua'r wawr – a'r het ar ôl.

Idris Reynolds

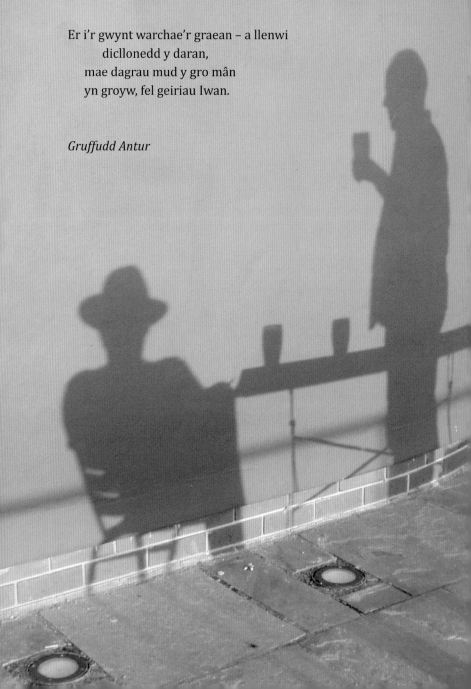

Geiriau Iwan

Er i'r gwynt warchae'r graean – a llenwi
  dicllonedd y daran,
 mae dagrau mud y gro mân
 yn groyw, fel geiriau Iwan.

Gruffudd Antur

Bardd ar daith

O raid, mae'r enaid aflonydd yn daer
i dorri tir newydd
ar y daith a dathlu'r dydd,
y lôn yw ei lawenydd.

Llion Jones

Mi wn am dy ...

Yn Nhŷ Coz mae gwreichion cân, a rhai'n hel
o'r nos gylch y pentan,
y mae awch i'r siarad mân
ond t'wyllwch oer tu allan.

Llion Jones a Peredur Lynch

Manceinion / Manchester Piccadilly

I Iwan y bardd a'r teithiwr

Fel hyn y dylai fod ar feirdd: bod yn gaeth ar drên,
ynghanol sŵn teuluoedd blin a chŵn
llawer rhy beryglus. Maen nhw'n
un enghraifft, y fam yn hen

ac yn gweiddi ar y ddwy o hyd,
ac ar y ci; a phob un sgwrs yn troi yn ffeit
gan nad oes neb yn deall, cweit,
y lleill drwy acenion cras eu rhan fach hwy o'r byd.

Ac ar y trên, mae'r dadlau'n un cresiendo mawr:
rhegfeydd sy'n atgoffa'r ddwy o'u hach.
A gwelaf batrwm clir eu camau bach
drwy'r olion bwyd ar lawr.

Ond maddeuwch i mi ddweud rhyw gelwydd bach;
nid ar y trên oedd hyn, ond dan rhyw bwt o loer
yng ngorsaf drenau tref Amwythig oer.
Yno y clywais i regfeydd eu strach.

A hithau'r fam yn bygwth ambell waith
ei thaflu ei hun, a'i beichiau, ar y rêls
o flaen siopwyr hwyr y pnawn yn ôl o'r sêls;
a'i merched ifanc unwaith eto ddim yn deall iaith

ei bygythiadau chwyrn, eithafol, hi.
Mae heddiw iddynt hwythau'n hwyl i gyd,
yn gotiau smart a chapiau lond eu byd.
A hwyl yw dicter swnllyd cyfarth ci.

Ond beth yw pwrpas bardd mewn lle fel hyn?
Ai sylwi ar y diffyg deall sy'n y byd?
Ai ad-drefnu'r ystyr sydd i'r geiriau hyn i gyd?
Neu, efallai, grïo uwch diniweidrwydd plant a'u llygaid syn?

Dafydd John Pritchard

———————

Iwan

Mae rhyw leuad ryfedd uwch clychau Llanbadarn
sy'n gwmni o fath wrth fentro am dro;
rwy'n cerdded drwy'r fynwent rhwng eglwys a thafarn,
rwy'n cerdded drwy synau'r holl feddau clo.
Fan hyn lle bu Dafydd yn nwyster offeren
yn sylwi ar ferched, yn gweithio cân,
yn gwasgaru holl lwch y ffyrdd hyd ei awen,
yn gweld adar, yn troi dychan yn dân.
Ond heno mae rhyw gar yn sgrialu heibio,
mae'r coedydd yn ddu a'r neon yn dew;
ni chlywaf un cywydd gan rai sydd yn rhuthro
â gêm i'w gwylio ar SKY yn y Llew.
Mae rhyw leuad ryfedd uwch clychau Llanbadarn
ar noson unig yng ngwres canol Mai;
mae'r byd wedi newid rhwng eglwys a thafarn
a 'nghrebwyll innau rhyw fymryn yn llai.
Mae cloch fyny fan'cw sy'n trydar ei melltith,
ac un arall, daerach, yn canu d'athrylith.

Dafydd John Pritchard

Cofio Iwan

Ein neuadd o gwmnïwr, ein talwrn
talog, ein cwrdd neithiwr;
â'th fas gitâr, lengarwr,
di-arbed oet drwbadŵr.

T. James Jones

Iwan Llwyd

I'n horiau du, 'mlaen â'r daith – oedd ei her
　　ond roedd ias drwy'r afiaith
　　　yn gwybod nad yw gobaith
　　　yn creu heb adnabod craith.

Siôn Aled

Iwan, Bangor

Iwan, Bangor
Na, nid dyn dy filltir sgwâr oeddet ti
oni bai fod hi'n filltir go hir a'r sgwâr yn siâp byd.
Dyn y daith,
trempyn llenyddol,
trwbadŵr wedi sleifio drwy ryw ginc mewn amser
hanner mileniwm yn hwyr.
Un o'r glêr
yn dal i grwydro er bod plastai dy nawdd
bellach yn adfeilion
neu'n setiau i actorion y National Trust.
Ond fynnet ti ddim, fedret ti ddim bod yn llonydd
a'th Nannau a'th Lynegwestl di
oedd neuadd ysgol, llwyfan ymryson,
cynteddau meysydd awyr diflas-lân.
Donegal a Santa Fe,
Haight Ashbury a Titicaca
a Far Rockaway.
Iwan Bobman.
Ond i ni
dy gyd-genhedlaeth a lwyddent i'th ddal, weithiau,
cyn iti ddianc eto,
Iw Bang, Iwan Bangor,
dyn y Ffriddoedd a'r Ffreiars,
y Gilgant a'r Glanrafon,
dyn y filltir sgwâr, dros dro.
Ac yno y dychwelaist
am ysbaid ar drothwy haf
cyn dianc o'n gafael eto,
drachefn ar daith.

Siôn Aled

Mab y Mans

Pan oeddwn yn gweithio yn y Llyfrgell Genedlaethol ddechrau'r wythdegau roeddwn yn rhannu tŷ, sef y Gelli Aur, Stryd Siôr, Aberystwyth, â sawl un arall gan gynnwys, ar un adeg, William Owen Roberts, Emyr Lewis ac Iwan Llwyd.

Un noson ym mis Rhagfyr 1980, dim ond y fi ac Iwan oedd yno, a honno oedd y noson y lladdwyd John Lennon. Iwan oedd yr un a glywodd y newyddion gyntaf os cofiaf yn iawn ac arweiniodd y digwyddiad at y sgwrs ddwysaf a gefais erioed ag Iwan.

Er mai chwerthin a hwyl yw'r agweddau mwyaf amlwg pan fyddaf yn hel atgofion amdano, roedd dwyster yno hefyd. Fel arfer, fodd bynnag, rhyw eiliadau o ddwyster fyddent cyn dychwelyd at y chwerthin eto.

Ond roedd y noson honno, dros ddeng mlynedd ar hugain yn ôl bellach, yn wahanol ac fe fuom am oriau yn ceisio chwilio am ystyr i'r holl beth – ac, wrth gwrs, fel y daeth yn amlwg yn o fuan, doedd dim ystyr gan mai gwallgofrwydd Mark Chapman yn unig oedd yn gyfrifol am ddiffodd bywyd Lennon.

Dwi ddim yn cofio llawer o'r union bethau a ddywedwyd y noson honno, dim ond ein bod wedi holi 'pam' dro ar ôl tro mewn gwahanol eiriau ac i wahanol gyfeiriadau. Ond dwi'n cofio un peth a gododd yn sgil hynny. Mab y mans oedd Iwan, wrth gwrs, ond prin y byddai'n trafod crefydd, yn ystyr gyfundrefnol y gair beth bynnag, o gwbl. Fodd bynnag, yn sgil digwyddiad y noson honno, a oedd fel pe'n herio bob sicrwydd arall, dwi'n ei gofio'n cyfaddef 'Dwi byth yn mynd i'r capal bellach ond mae'n gysur imi bod y capal yno sdi.' Efallai ei fod yn siarad, mewn ffordd, dros lawer o 'genhedlaeth John Lennon' yn y Gymru Gymraeg y noson ingol honno.

Castell y Bere
Er, fel y dywedais, mai'r elfennau hwyliog yn ei gymeriad sydd amlycaf yn fy nghof wrth feddwl am Iwan, yr adegau dwys 'rwy'n eu trysori fwyaf.

Un adeg arall felly oedd ymweliad â Chastell y Bere, rywbryd yn ystod 1981, mi gredaf. Prynhawn dydd Sul oedd hi ac mi fuom am rai oriau ymysg yr adfeilion anghysbell yn uniaethu â Dafydd ap Gruffudd a giliodd yno yng ngaeaf 1283 gan wybod, mae'n debyg, na allai wrthsefyll byddin Edward y Cyntaf yn hir. Aeth ein sgwrs i lawer o gyfeiriadau, gan gynnwys myfyrio ynghylch y 'foment dragwyddol' pan fo ffiniau amser yn diflannu. Ennyd felly, yn wir, oedd y prynhawn hwnnw gydag Iwan yn y cwm caeedig rhwng bryniau Meirionnydd, ac mae'n foment y gallaf ei phrofi eto wrth ysgrifennu hyn heddiw.

Diwrnod y Briodas

Ar nodyn ysgafnach, cofiaf i griw ohonom, gan gynnwys Iwan, benderfynu dianc rhag sbloets y Briodas Frenhinol fis Gorffennaf 1981. Y cynllun oedd mewn car o Aberystwyth am Ddyffryn Clwyd gan fwriadu canfod cyfeillion o gyffelyb fryd i dreulio diwrnod heb orfod dioddef dim o'r breningarwch obsesiynol a fyddai ar y teledu na wynebu'r perygl o gael ein dal mewn parti stryd yn Aber.

Ar ôl mynd heibio i'r Bala, fodd bynnag, daeth yn amlwg bod rhywbeth mawr yn bod ar y car, a rhaid fu inni geisio cymorth yn y garej yn y Ddwyryd. Roedd yn dda cael clywed y byddai modd trwsio'r car, ond fe'n rhybuddiwyd y gallai gymryd rhai oriau. Gan nad oedd na chaffi na thafarn yn agos i'r lle bryd hynny, fe'n gwahoddwyd i ddisgwyl yn y garej ei hun. Yno, â'r sain yn ddidrugaredd uchel uwchlaw sŵn y gwaith, roedd teledu'n dangos pob eiliad o'r wledd frenhinol yn Llundain!

Ni fu dianc i ninnau felly – ond fe wnaethom gyrraedd Tafarn y Plu yn Rhuthun ymhellach ymlaen a dathlu'r achlysur yn y modd haeddiannol, gydag Iwan, os cofiaf yn iawn, yn hael ei awen mewn gwrogaeth i'r Goron!

Siôn Aled

Economeg anrhegu – yw yr ŵyl
a'i charolau'n canu
gwgeth y gwario a'r gwethu:
un fargen, un seren sy'.

Nadolig '93

O Annwfn y Sêr pellennig, – o niwl
yr anialwch cosmig
daeth un genhadaeth unig
i'n llaid yn goflaid o gig.

Nadolig 1997

Daeth y 'Dolig i'n prigo – a'i gelyn
o gynnilydd eto;
yn heip y lodlest siopio
gwario wnawn ôl Goron O.

Nadolig 2003

Nid oes seren eleni — i'n harwain
yn nhiroedd trueni,
mae'r gwn yn nrama'r geni
'n rhwygo ein nef beryg ni'.

Nadolig 2009

'Ella daw blwyddyn gallach — nos galan
os gwela'i gyfrinach
y lôn fwyn drwy'r galon fach
at frig calennig cleiniach.

'Dolig llawen,

Iwan x.

Iwan, y Bardd Plant

Yn ystod y 1990au, roedd agweddau at farddoniaeth yn yr ysgolion yn newid. Daeth to newydd o athrawon – oedd wedi cael profiad o fwynhau nosweithiau anffurfiol y sioeau barddol efallai – i ystyried cerddi a gweithdai barddoniaeth fel allwedd i ddeffro dychymyg plant ac ehangu eu geirfa a'u profiadau iaith. Nid testunau gosod i'w hastudio a'u dysgu ar gyfer arholiadau yn unig oedd barddoniaeth iddynt.

Yn annibynnol ar ein gilydd, roedd Iwan a minnau yn cael gwahoddiadau i ymweld ag ysgolion cynradd, dosbarthiadau uwchradd a disgyblion Lefel A i drafod barddoniaeth a chynnal gweithdai yn ystod y blynyddoedd hynny. Treuliodd Iwan flynyddoedd yn ateb galwadau i

ysgolion Ceredigion a Môn ymhell cyn i'r swydd 'Bardd Plant Cymru' gael ei chreu a gwn ei fod yn rhoi mwy o bwyslais a gwerth ar y gwaith hwnnw na dim arall a wnâi. Hyd yn oed pan oedd teithio yn anodd iddo, ymdrechai i'r eithaf i wneud yn siŵr ei fod yn dal i fedru ymweld â gwahanol ysgolion. aeddfed hon ac yn cyfathrebu'n naturiol ac effeithiol gyda hi. Roeddwn i wastad yn teimlo bod Iwan yn tynnu'r gorau allan o'r plant a'r bobl ifanc, ac roedd plant a phobl ifanc yn tynnu'r gorau allan o Iwan yn ogystal. Roeddan nhw wrth eu boddau yng nghwmni'i gilydd.

Yn y 1990au, roed asiantaethau a chyrff allanol fel yr heddlu, NSPCC, mudiadau amddiffyn rhag trais yn y teulu, asiantaethau cyffuriau a rhyw diogel yr awdurdod iechyd yn gofyn inni ddefnyddio gweithdy barddoniaeth i gyflwyno gwybodaeth a throsglwyddo neges arbennig. Dechreuwyd ystyried sgwennu barddoniaeth fel gweithgaredd i griw o blant ar drip yn ymweld â chastell, carchar neu barc natur. Roedd cyrsiau hyfforddi athrawon yn ymdeimlo â'r newidiadau hyn ac yn awyddus i'n gwahodd i'r coleg Normal, Bangor ac UWIC, Cyncoed i gyflwyno technegau ac amcanion newydd i ddarpar-athrawon.

Daeth unig felin wynt Môn, Melin Llynnon, yn gartref i weithdy barddoniaeth – felly hefyd Stadiwm y Mileniwm, castell Harlech, Ynys Enlli, Amgueddfa Sain Ffagan, Eglwys Gadeiriol Bangor, cytiau'r Celtiaid, gwersylloedd yr Urdd yng Nglan-llyn a Llangrannog, Orielau Mostyn a Glyn y Weddw a thai fel y Lasynys a Chae'r Gors.

Yn ystod y blynyddoedd hynny roedd newid go sylweddol wedi digwydd yn nhestunau gosod y maes llafar Cymraeg ar gyfer arholiadau TGAU a Lefel A. Mentrodd y panel osod cerddi gan feirdd iau – beirdd oedd yn dal yn fyw! – ar y maes llafur. Daeth athrawon ar ofyn beirdd fel Iwan Llwyd, Twm Morys, Mei Mac a minnau a threfnu ein bod yn cynnal sgyrsiau ar gefndir ein gwaith a'n syniadau am farddoniaeth mewn ysgolion fel y Cymer, Aberaeron, Bodedern a Maes y Dderwen. Unwaith eto, roedd hi'n amlwg bod Iwan yn deall natur y gynulleidfa ifanc.

Cerddi yn y coed

Yn 1999, cysylltodd Barbara Lewis, swyddog addysg Menter Coedwigaeth, Garwnant, Cwm Taf Fawr â mi yn gofyn i mi gael gafael

ar ddau fardd arall i rannu'r gwaith o gynnal gweithdai barddoniaeth mewn pedair coedwig gan fynd o dan groen y lleoliadau a thywys y plant ar hyd llwybrau hanes, chwedloniaeth a chymeriad yr ardaloedd, yn ogystal â'r llwybrau natur. Ariannwyd y cynllun gan y Poetry Society yn Llundain a chynhaliwyd y gweithdai yng nghwmni rhwng 50-60 o blant bob tro gan ddefnyddio lleoliadau cofiadwy ac adnoddau ac adeiladau gwych Menter Coedwigaeth Cymru. O'r Garnwant i goed Gwydir, o Nant yr Arian yng Ngheredigion i Gwm Carn yng Ngwent, bu Iwan a minnau – ac Elinor Wyn Reynolds yn ymuno â ni weithiau – yn defnyddio'r profiadau uniongyrchol i ysgogi cerddi. Nid drwy roi testun ar y bwrdd gwyn y mae cael plant i gyfansoddi – mae'n rhaid rhoi profiad iddynt, neu brocio atgof o brofiad mewn gweithdy yn y dosbarth. O'r ddau, mae'n llawer gwell rhoi'r profiad uniongyrchol mewn lleoliad arbennig ac yna cynnal sgwad sgwennu tra bo fflam yr ymweliad yn dal yn fyw ac yn gwresogi'r dychymyg.

Yn y coedwigoedd cawsom ymdrin â themâu fel effaith y diwydiannau trymion ar gymoedd y de-ddwyrain; hyfrydwch yr enwau lleoedd fel Llwyn-onn a Nant yr Arian; chwedlau am gewri yng nghymoedd Gwent; llanw a thrai'r tymhorau; hanes lleol – fel boddi'r cwm i greu cronfa Llwyn-onn ger coedwig Garnwant; adar

ac anifeiliaid y coed – y gog, y barcud coch a'r carw; y traddodiad barddol Cymraeg a'r mesurau. Fel y dywedodd Iwan wrth inni baratoi adroddiad ar y canlyniadau i'r awdurdodau:

Mae lle, ac ymwybyddiaeth o le, wedi ysbrydoli beirdd erioed – yn arbennig felly yng nghyd-destun barddoniaeth Gymraeg. Mae gan dirwedd a daearyddiaeth Cymru le amlwg yn y farddoniaeth Gymraeg gynharaf, ac yn fwy arbennig, y berthynas rhwng y tirwedd â phobl a chymdogaethau. Mae'r tir wedi mowldio ein pobl a'n diwylliant, ac rydym ninnau yn ein tro wedi siapio'r tir, megis Mynydd Parys, Môn a chymoedd glofaol Gwent. Mae ceisio ail-greu'r ymdeimlad hwnnw o le ar lawr y dosbarth yn brofiad rhwystredig iawn yn aml, ac roeddan ni'n croesawu'r cyfle i fentro i'r coed yng nghwmni grwpiau o blant.

Wrth fynd â'r plant am drip, roeddan ni'n medru mynd â nhw am dro i fyd y dychymyg yn ogystal.

Holi'r eog a'r dylluan

Hen eog a thylluan ddoeth
sut ddaethoch chi i Gwm Carn?
'Fe ddois i o'r cefnfor,' meddai'r eog,
'a minnau o'r nefoedd,' meddai'r dylluan.

Hen eog a thylluan ddoeth,
pam ddaethoch chi i Gwm Carn?
'Fe ddois i guddio yn y coed,' meddai'r dylluan,
'a minnau am yr heddwch,' meddai'r eog.

Hen eog a thylluan ddoeth,
beth yw eich hoedran chi?
'Rwy'n hŷn na'r cawr hynaf,' meddai'r eog
a'r dylluan, 'rwy'n hŷn na'r coed.'

Hen eog a thylluan ddoeth,
pwy roddodd eich enwau i chi?
'Y Brenin Arthur,' meddai'r dylluan,
'Ysbaddaden,' meddai'r eog, 'fo wnaeth fy enwi i!'

Hen eog a thylluan ddoeth,
i ble'r aeth y dŵr yn y nant?
'Fe yfodd y pwll yr afon,' meddai'r eog,
ac ebe'r dylluan, 'ac mae llyn yn y pant.'

Hen eog a thylluan ddoeth,
ydych chi'n nabod glowyr y Pwll?
'Roeddwn yn nabod rhai,' meddai'r dylluan,
'a rhai na ddaeth o'r Pwll,' meddai'r eog.

Hen eog a thylluan ddoeth,
a welsoch chi eich cerfluniau chi?
'Do' meddai'r eog, 'mae'n fendigedig,'
ond meddai'r dylluan, 'dyw e ddim yn debyg i mi.'

Hen eog a thylluan ddoeth,
a wnewch chi aros yng Nghwm Carn?
'Na wnaf,' meddai'r eog, 'aeth y dŵr o'r Cwm,'
ac meddai'r dylluan, 'tra bo'r coed.'

Hen eog a thylluan ddoeth,
i ble ar eich gwyliau'r ewch chi?
'Mae'n braf yng Nghwm Carn,' meddai'r dylluan,
ond meddai'r eog, 'i Blacpŵl yr af i!'

Gweithdy Cwm Carn, grŵp Iwan Llwyd

Roedd y *Poetry Society* yn ceisio hyrwyddo'r math hwn o ddigwyddiadau yn Lloegr, ac wedi digwydd baglu dros Glawdd Offa yn achos cynllun Menter Coedwigaeth. Ond doedd dim parhad na phatrwm yn perthyn i'r prosiectau hyn yn y Gymraeg – roedd y cyfan yn hap a damwain ac yn dibynnu ar ambell swyddog mwy ymroddedig na'i gilydd.

Sefydlu Meifod

Ar ryw fore braf wrth deithio'n gynnar drwy ganolbarth Cymru i un o'r coedwigoedd hyn, dyma Iwan a minnau'n dechrau chwarae â'r syniad o greu rhyw fenter hyrwyddo profiadau barddonol i ddisgyblion o bob oed yma yng Nghymru. Dewis llefydd oedd yn cyfoethogi'r meddwl a'r dychymyg a defnyddio'r lleoedd i ysgogi'r geiriau – roedd y ddau ohonom yn dringo i ryw hafod hyfryd uwch llawr gwlad ein bywydau bob dydd wrth drafod y fath bosibiliadau. Mai oedd hi, a glas oedd lliw y Canolbarth – ac mi benderfynon ni efo'n gilydd mai 'Meifod' fyddai'r enw ar y fenter newydd hon.

Ymgais gan Iwan a minnau i hyrwyddo a hwyluso pethau ac i ehangu'r posibiliadau oedd sefydlu 'Meifod' yn 1999. Roeddem ill dau wedi cael ein gwahodd ar y cyd yn amlach erbyn hynny. Plethwyd ein llwybrau o'r newydd gan seremonïau coron a chadair Cwm Rhymni a phan oedd prosiect ehangach nag ymweliad ag un dosbarth ar droed, byddem yn cael ein galw gyda'n gilydd gan athrawon ac awdurdodau mwy anturus na'r rhelyw. O dro i dro, byddai gweithdai eraill – celf, cerdd, dawns ac ati – yn cyd-fynd â gweithdai barddoniaeth ar thema arbennig neu mewn lleoliad neilltuol. Dan fantell Meifod, dechreuodd Iwan a minnau hyrwyddo'r math hwn o weithgaredd a defnyddio ein gwahanol gysylltiadau i drefnu rhaglenni amrywiol a mwy uchelgeisiol.

Gan ein bod yn nabod nifer o feirdd a chyfansoddwyr eraill oedd yn hunangyflogedig, roeddem yn medru cynnig tîm o gydweithwyr oedd yn medru cynnal wythnos gyfan o weithdai barddoniaeth mewn lleoliadau arbennig. Doedd y trefnwyr ddim ond yn gorfod gwneud un alwad ffôn, nodi dyddiadau a byddem ninnau'n trefnu'r gweddill. Buddsoddodd Meifod mewn chydig o offer fel fflipfyrddau ac roeddem yn barod i fedru cynnal gweithdai y tu allan i waliau dosbarth.

Un o'r lleoedd cyntaf i fanteisio ar y trefniant hwn oedd Antur Waunfawr. Gwahoddwyd ysgolion Gwynedd i ymweld â'r Antur, cael profiad o'r llwybr natur, cyfarfod y gweithwyr a chael peth o hanes John Evans yr anturiaethwr – ac yna cael eu hysgogi i sgwennu cerdd am y profiad. Dwy ysgol y dydd, rhwng deugain a hanner cant o blant a dau fardd yn cynnal y gweithdai. Gan amlaf byddai Iwan a minnau yn gweithio ar wahân i'n gilydd ar y dechrau ac yn ceisio cynnig syniadau a phatrymau gwaith i feirdd eraill fel Mei Mac, Ifor ap Glyn a Geraint Løvgreen drwy fod yn bartneriaid iddynt ar y prosiectau hyn. Drwy hyfforddi'n gilydd, roedd gennym dîm o weithwyr oedd yn ei gwneud hi'n bosibl inni daclo mwy o brosiectau ac ar raddfa ehangach. Eraill a ymunodd â'r tîm hwn yn fuan oedd Twm Morys, Elinor Wyn Reynolds, Gwen Lasarus a Gwyneth Glyn.

Yr Amgueddfa Lechi Genedlaethol, Llanberis

Gyda chydweithrediad ysbrydoledig Celia Parry, swyddog addysg yr Amgueddfa Lechi Genedlaethol yn Llanberis, dechreuwyd ar gynllun 'wythnos farddoniaeth' ddwywaith y flwyddyn rhwng 2000-05. Weithiau byddai ysgolion llai yn ymuno â'i gilydd i greu ymweliad o ryw hanner cant o blant, a thros y blynyddoedd daeth miloedd o blant Gwynedd i'r amgueddfa a chael cerdd neu gân i fynd adref gyda nhw. Trefn y dydd oedd gwylio'r ffilm 3D yn cyflwyno hanes y diwydiant llechi yn gryno. Roedd Iwan a minnau yn medru cydadrodd y sgript gyda llais John Ogwen erbyn y diwedd! Cyfarfod y crefftwyr oedd hi wedyn – roedd nifer o gyn-chwarelwyr yn gweithio yno yn arddangos y grefft o hollti a naddu ac roedden nhw'n wirioneddol wych wrth roi darlun o waith y chwarel i'r plant. Caem daith o amgylch hen adeiladau'r Gilfach Ddu wedyn gan gynnwys ymweliad â rhes o dai Tanygrisiau oedd wedi'u dodrefnu yn ôl tri chyfnod allweddol yn hanes yr ardaloedd chwarelyddol, sef anterth y 1860au, streic y Penrhyn yn 1902 a chau Dinorwig, 1969. Tro i fyny at ben yr olwyn ddŵr fawr oedd yn arfer rhoi pŵer i holl beiriannau'r efail a'r gweithdy ac yna gweld y ffowndri drawiadol, llofft y patrymau, y gweithdai llifio a swyddfa'r rheolwr.

Os byddai amser yn caniatáu, caem ambell drip i Ysbyty'r Chwarel hefyd – a chael ein sobri gan y baglau, yr offer llifio coesau oedd wedi'u malu y tu hwnt i wellhâd, y cadeiriau olwyn ac wrth gwrs y slaban o lechan oer oedd yn wely i gorff y chwarelwyr oedd yn cael eu cario i dŷ'r meirw.

Cyn cinio, byddai'r plant yn ymgynnull yn yr ystafell addysg a'u hysgogi i ddwyn geiriau i gof a sôn am yr hyn oedd wedi creu argraff arnynt. Byddai rhywbeth wedi tanio'r dychymyg erbyn hynny ac wrth i'r geiriau gael eu hel yn bentyrrau ar bapur y fflipfwrdd, roedd gennym ddeunydd crai i weithio gydag o.

Hanner awr i ginio ac yna yn ôl i'r gweithdy i geisio sefydlu llinell a rhythm i'r geiriau a'r syniadau. Dyma'r pryd y byddai'r ddau fardd yn gorfod tanio'r plant a hefyd tanio'i gilydd – cydio mewn hanner syniad, chwarae gydag o a'i ymestyn y ffordd yma ac acw a cheisio cael y plant i fwydo mwy a mwy o eiriau. Hel geiriau ac yna dethol, dyna'r ffordd. Mae hi fel dyn yn codi wal garreg sych – pentwr mawr o gerrig bob siâp ac yna dewis y rhai iawn i'w gosod yn drefnus wrth ochrau'i gilydd. Mae pentwr mawr o gerrig ar ôl ar y diwedd – ond dim ots am hynny – mae'n well cael gormod o ddewis na rhy ychydig. Ond cyn dechrau codi'r wal, rhaid cael sylfaen gadarn. A'r rhythm oedd yn gosod siâp i'r cyfan. Wrth ymestyn y plant, roedd ambell air yn cydio wrth un arall nes bod dweud newydd yn cael ei greu. Byddai gennym linell a honno wedyn yn galw ar linell arall.

'Beth am linell gyntaf dda?' fyddai Iwan yn ei ofyn mewn sbel. 'Mae ganddon ni batrwm a rhythm bellach – pwy all gynnig llinell gyntaf i hoelio'r sylw a'n harwain ni at y syniad yma sydd ganddon ni.' Ymhen sbel byddai tri neu bedwar cynnig ar linell gyntaf – cloriannu, ystyried a dewis yr un fwyaf ddefnyddiol. Gwneud hyn i gyd yn llafar fel bod y plant yn ein dilyn ac yn porthi, yn rhan o'r cyfan. Geiriau'n dilyn ei gilydd a finnau'n gofyn ambell gwestiwn arweiniol tua diwedd yr ail linell. Atebion gan y plant ac yna un gair, y gair y byddwn yn pysgota amdano efallai, yn cael ei ddweud gan un ohonyn nhw. Iwan yn gwenu rhyngddo ef ei hun a'r fflipfwrdd wrth ei sgwennu – roedd y gair hwnnw yn cynnig odl bosibl i gloi'r pennill.

Felly fyddai pethau'n gweithio rhyngom – Iwan yn arwain i un cyfeiriad, minnau'n gweld dewis arall yn ei gynnig ei hun ac yn cymryd drosodd am linell neu ddwy ac Iwan wedi gweld i ble'r oeddem yn mynd ac wedi cyrraedd yno o'n blaen. Ond y plant oedd piau'r geiriau. Gofyn cwestiynau wnâi'r ddau arweinydd, atebion y plant oedd yn y llinellau. A'r cyfan yn erbyn y cloc wrth gwrs – roedd yn rhaid gorffen y gerdd cyn i'r bws adael am chwarter i dri. Dwy awr a hanner chwyslyd, llawn chwerthin a phrocio a dweud straeon ac ail-fyw profiadau'r amgueddfa oedd y rheiny. A phan fyddai'r gân neu'r gerdd wedi'i gorffen, a'r plant wedi dewis teitl arni, byddai'r balchder y tu ôl i'r gwenau a âi am y bws yn rhoi cryndod i'r blew bach ar ein cefnau.

Gyda phob ymweliad, roeddem ninnau yn clywed stori newydd neu'n dod ar draws gair newydd – diolch i'r crefftwyr oedd yn gweithio yn yr amgueddfa. Y 'gyllell fach' oedd yr offeryn naddu, y 'drafal' oedd y teclyn y byddid yn ei ddefnyddio fel llafn i naddu ato a'r 'blocyn tin' (ffefryn mawr ymysg y plant!) oedd enw'r coedyn yr eisteddai'r naddwr arno. 'Be ydi hwn?' holodd un o'r plant gan bwyntio at erfyn yn yr hen efail. 'Ebill ydi hwnna,' meddai'r tywysydd. 'Efo hwnna fyddan nhw'n drilio tyllau i'r graig i wneud lle i'r powdwr du.' 'A hon?' gan bwyntio at ordd fawr a ddefnyddid i dario cynion hollti i slaban fawr o lechfaen. 'Rhys ydi'r enw ar honna.'

Rhys! Pam 'Rhys'? Doedd dim ateb i'r cwestiwn hwnnw – ond roedd digon o le i'r dychymyg. Ai Rhys, mewn un oes, oedd pencampwr yr ordd fawr? Y cawr mwyaf cyhyrog yn y chwarel a'r un oedd yn cael ei alw lle bynnag yr oedd trafferth yn y gwaith? Beth oedd yr achlysuron rheiny ar y bonc pan fyddai 'na waedd i'w chlywed; 'Cer i nôl Rhys!' Roedd y plant yn tanio, a'r geiriau'n llifo:

'Hel geiriau ac yna dethol,
dyna'r ffordd. Mae hi fel
codi wal garreg sych ...'

Rhys

Os 'di'r trên yn torri lawr –
    Galwch am Rhys!
Os oes angen cryfder cawr –
    Galwch am Rhys!
Os oes carreg fawr yn gwasgu,
Os rhaid cario claf i'r 'sbyty,
Os di'r inclên wedi malu –
    Galwch am Rhys!

Y fwstach sy fel brwsh llawr –
    Hwnnw yw Rhys!
Yr un â'r sgidiau hoelion mawr
    Hwnnw yw Rhys!
Ei fôn braich fel peli rygbi
Ei ddwy law fel rwbwl llechi,
Fe glywch ei lais o o Caergybi
    Hwnnw yw Rhys!

Codi'r ordd drom uwch ei ben,
    Dyma wna Rhys!
A 'does 'run caletach pren
    Dyna ddwed Rhys!
Pan fo angen nerth i gowjo
Y cŷn brashollt, yna'i waldio,
Pan fo wagen yno i'w llwytho –
    Dyna wna Rhys!

Dwi'm isio'r drafal na'r meinar bach
  Dwi eisio Rhys!
Na blocyn tin na chlun dan sach –
  Dwi isio Rhys!
Dwi'm isio manhollt na phric mesur,
Na mwrthwl lwmp na chŷn bach prysur,
Dwi eisio mysls a dwylo budur –
  Dwi isio Rhys!

Yn gefnsyth yma'n sefyll o hyd
  Y mae Rhys!
Er i'r chwarelwyr gilio i gyd
  Yma mae Rhys!
Nid yw powdr du yn tanio
Yn y caban does neb yn sgwrsio –
Ond mae chwarel fawr yn cofio
  yr enw RHYS!

Ysgol Gwaungynfi
gydag Iwan Llwyd a Myrddin ap Dafydd
Amgueddfa Lechi Cymru, Llanberis
18fed o Hydref, 2002

Wrth fodio drwy'r casgliad o gerddi chwarelyddol heddiw, mae ambell sesiwn yn neidio'n ôl yn fyw i'r cof. Hon yw un – criw o Ben-y-groes, Dyffryn Nantlle oedd yno. Beth fedrem ni ddysgu iddyn nhw am fyd y chwarel a hwythau'n dod o hen deuluoedd y gwaith? Mae cwestiwn cyntaf y gerdd yn gwestiwn agoriadol a ddwedais i yn ystafell addysg. Dyma Iwan yn neidio ar fy nhraws a gweddi 'Dyna hi ein llinell gyntaf ni – 'Be dwi'n mynd i ddweud wrth blant Pen-y-groes?'!' Mae siâp cwestiwn ac ateb y gweithdy yn amlwg yn y gerdd hon.

Carreg Ateb

Be dwi'n mynd i ddweud wrth blant Pen-y-groes?
Faint maen nhw'n gwybod am yr hen oes?

'Mae gan taid luniau a straeon lu
A darn o Dorothea ar wal yn y tŷ.'

A welsoch'r drafal a cŷn manhollt o'r blaen?
Sut maen nhw nabod llechen heb weld y graen?

'Dan ni yma i ddysgu a'ch clywed chi'n dweud
Am yr hollt a'r naddu a'r hen ffordd o wneud.'

A fydd y clwt yma yn lwcus i mi?
A chriw mawr o blantos yn fy gwylio i?

'Dan ni ddim yma i roi dwy gefn wrth gefn
na sefyll fel stiward a dweud y drefn.'

A fedra i dorri yr onglau ar hon
A mynd fel trên bach i gael llechen gron?

'Cymrwch ych amser. Byddwch hapus â'ch gwaith.
Gofalwch na chewch chi na sgôr na chraith.'

Wyddoch chi be'wnân nhw â'r rwbel erbyn hyn?
Y tomenni a'r naddion a'r powdwr gwyn?

'Mi welson ni lorïau yn dod i lawr
O chwarel y Cilgwyn i greu lôn newydd fawr.'

A glywsoch chi am *Wide Lady, y Duchess a'r Queen*
Am haearn sbring ac am flocyn tin.

'Naddo tan heddiw. Ond yma o hyd
mae'r llechi a wasgwyd cyn bob bywyd ar y byd.'

Ysgol Bro Lleu
gydag Iwan Llwyd a Myrddin ap Dafydd
Amgueddfa Lechi Cymru
Chwefror 7fed 2003

Roedd y themâu yn ddiderfyn. Er ein bod yn troi o fewn yr un lleoliad, roedd digon o eiriau ac agweddau gwahanol yno i gynnal un gweithdy ar ôl y llall am flynyddoedd lawer. Doedd dim anhawster wrth gael pob dosbarth ar draws y sir i uniaethu â'r chwarel – roedd llawer o blant Arfon yn hannu o deuluoedd y gwaith a dwi'n cofio teimlo'r ias pan ddywedodd un o hogiau Llanbêr: 'Fa'ma ro'dd Taid yn gweithio'. Pan ddaeth plant Trefor a Phenmaenmawr yno, roedd hi'n hawdd sôn am y chwareli yn eu hardaloedd hwythau. A phan ddôi dosbarthiadau o Lŷn, roeddan ni'n cofio mai cefn gwlad oedd yn bwydo'r gweithwyr i'r bonciau. O flaen plant yr oeddan ni, a phlentyn yn ysu am fod yn 'ddigon mawr' i gario'i arfau ei hun ac ennill ei fara menyn yn nannedd y graig sydd gennym yn y gerdd olaf i'r casgliad. Er y caledi a'r peryglon, roedd balchder yn perthyn i'r chwarel hefyd ac roeddem yn ceisio cael y dosbarthiadau i rannu'r teimlad hwnnw am y lle.

Taith y Chwarelwr

Flwyddyn nesa' fe ga'i wisgo sgidia hoelion mawr
a theimlo'r tân dan fy nhraed,
cau'r drws ar deganau yn yr oriau mân,
sgrepan ar fy nghefn a ffydd yn fy ngwaed.

Flwyddyn nesa' fe ga'i gyflog i roi bwyd ar y bwrdd,
a chrefft Dennis Drafal yn gefn,
cael hwyl wrth dynnu coes yn y Caban Aur
a llaw a llygad at y lechen lefn.

Flwyddyn nesa' fe ga'i'r gora ar y fforman sur
a llechi sy'n berffaith eu graen,
fe ga'i gig mewn lobsgows a brechdan jam
os cadwa'i fy nhrwyn ar y maen.
Flwyddyn nesa' fe ga'i rannu'r straeon i gyd
efo criw newydd sydd yn dechrau'r daith
am y graig yn chwythu ac ysbryd y llwch,
am falchter y grefft a'm mêts yn y gwaith.

    Ysgol Nefyn
    gydag Iwan Llwyd a Myrddin ap Dafydd

O Weithdy i Weithdy

Roedd mwy a mwy o ysgolion yn galw am wasanaeth beirdd yn y dosbarth – ac efallai mai rhai o'r ysgolion mwyaf taer am hynny oedd ysgolion Cymraeg y cymoedd yn y de-ddwyrain. Gallai gweithdai barddoniaeth ddod â hwyl a ffraethineb i'r gwersi iaith ac roedd creu cerdd yn gyfrwng i ehangu geirfa'r dosbarth heb iddyn nhw fod yn ymwybodol o hynny. Wrth alw am eiriau, y geiriau Saesneg a gâi eu cynnig weithiau pan fyddem yn gweithio gyda chriw o ddysgwyr. Trosi'r rheiny i'r Gymraeg cyn eu taflu ar y pentwr geiriau ac os câi'r geiriau hynny eu defnyddio wedyn yn un o linellau'r gerdd, byddai'r dosbarth wedi'i ddysgu heb ymdrech yn y byd. Roedd ysgolion Cymraeg y de-ddwyrain yn medru cynnig dosbarthiadau mawr a digon o ddosbarthiadau i Iwan a minnau weithio'n annibynnol ar ein gilydd, ond eto'n rhannu'r trefniadau a'r teithio a rhannu'r profiadau wedyn mewn llefydd fel ysgolion Llyn y Forwyn, Dolau, Tonyrefail a Llwyncelyn.

Yng Ngorffennaf 2001 cafodd Iwan a finnau gyfle i gyd-weithio gyda phlant yng ngharchar Biwmares. Criw mawr a thaith ymchwilgar o gwmpas yr adeilad yn gyntaf cyn torri'n ddau griw a chyfansoddi cerdd yr un ar ôl hynny. Y pethau roeddan ni a'r plant wedi'u gweld, eu clywed a'u trafod oedd y deunydd.

Gallai gweithdai barddoniaeth ddod â hwyl a ffraethineb i'r gwersi iaith ac roedd creu cerdd yn gyfrwng i ehangu geirfa'r dosbarth heb iddyn nhw fod yn ymwybodol o hynny.

Lleisiau'r Carchar

Gwichian y bariau haearn
a 'nghalon yn curo'n gynt,
sŵn traed yn atsain ar y llechi glas,
sŵn ysbrydion ar y gwynt:
ysbrydion y carcharorion
fu yma flynyddoedd yn ôl,
yn crynu'n y celloedd bach tywyll,
yn magu ei babi'n ei chôl.

Mae oglau y sebon carbolic
yn llenwi pob cornel o'r gell,
a'r brws sgwrio yn ll'nau fy mhechodau,
er mwyn bod yn rhywun gwell:
yn y bore mae'r coridorau'n drewi
a llwch noson arall ar y llawr,
a neb i rannu hunllefau
ond y cranc a'r llygod mawr.

Mae'n oer pan mae'r gloch yn canu
a'r uwd yn sglwts fel hen lud,
a'r rhaffau yn galed a garw,
a 'mysedd yn llosgi o hyd:
ond pan nad yw'r swyddog yn edrych,
'dwi'n torri fy enw yn y wal,
'O.J. 3 Mis', caf fynd adre
os nad yw y swyddog yn fy nal.

Mae'r dŵr yn hallt ac yn chwerw
a finnau'n sychedig drwy'r dydd,
yn ll'nau'r dillad a'u rhoi drwy'r mangl
tra'n breuddwydio am fod yn rhydd:

mae'r tawelwch yn annioddefol,
ga'i'm janglo efo'n ffrindiau hyd yn oed,
mae'r waliau yn cau amdanaf
a'r cyffion yn cloi am fy nhroed.

Mae'r tywyllwch yn unig ddychrynllyd,
bwganod yn troi yn fy mhen,
pob smic yn fy neffro, pob tic toc
yn dweud bod fy nghosb bron ar ben:
cael gweld y drws yn agor o'r diwedd,
a'r haul yn disgleirio fel fflam,
a phobol yn chwerthin a chanu,
a rhyddid yn cyflymu 'ngham.

Gweithdy Iwan Llwyd, Jêl Biwmares
Gorffennaf 2001

Beirdd ifanc yn blodeuo ymhlith y blodau

O'r chwith: Ceri Griffith, Kelly Cavanagh a Richard Sturrock, i gyd o Ysgol Bethel, yn rhannu profiadau barddonol efo'r prifardd Iwan Llwyd ddydd Iau. Bydd plant o nifer o ysgolion Arfon yn cydweithio â rhai o feirdd enwoca Cymru yn Antur Waunfawr am bythefnos, wedi eu hysbrydoli gan fywyd gwyllt a golygfeydd Dyffryn Gwyrfai. Meddai Dafydd Arfon Jones, Swyddog Addysg yr Antur: "Buom yn manteisio ar y tywydd da gan weithio tu allan yn gyfangwbl o gwmpas ein parc

Ar Faes Eisteddfod Dinbych 2001, roedd olion archaeolegol hen gladdfeydd o ddyddiau Cunedda ac olion hen helwyr Oes y Cerrig ar lan llyn yng nghanol Dyffryn Clwyd. Roedd y llyn wedi diflannu ers tro, ond yno rhoddwyd profiad uniongyrchol o grafu drwy haenau'r pridd yng nghwmni Ken Brasil a thîm archaeolegol o'r Amgueddfa Genedlaethol. Gyda'r briwsion fflint a charbon, roedd y beirdd yn cynnal sgwodiau sgwennu dyddiol:

Creu Iaith

Ar lan y llyn, cyn bod co' – na hanes,
　　na'r un enw yno,
　yr oedd egni'n ymdreiddio
　a'n geiriau oll yn y gro.

Taith y Pererinion i Enlli oedd thema gweithdy Nant Gwrtheyrn un gwanwyn.

'Dewch Draw i Enlli'

'Dewch chwi bererinion diog,'
meddai hen glychau Clynnog:

'Peidiwch stwna a sefyll,'
meddai dŵr cyflym Pistyll:

'Dilynwch lwybrau y llanw,'
meddai tonnau'r môr garw:

'Cewch arweiniad y croesau,'
meddai'r cerrig yn y cloddiau:

'Fe awn â chi i Enlli!'
meddai tyrau'r eglwysi:

'Dewch, 'da chi fel malwod!;
meddai Ynysoedd y Gwylanod:

Canlynwch Ddewi a Beuno
a chyn bo hir fe fyddwch yno!'

Ysgol Nefyn ac Iwan Llwyd

Y Barcud Coch

Cynllun y cafodd y ddau ohonom bleser mawr o fod yn rhan ohono oedd prosiect y Barcud Coch yn ne Powys, gwanwyn 2003. Olwen Edwards, cydlynydd y Gymraeg yn Ysgol Uwchradd Llanfair-ym-Muallt oedd y wreichionen fyw y tu ôl i'r cyfan. Bwriad Olwen oedd i'r plant oedd eisoes yn derbyn eu haddysg mewn ffrydiau Cymraeg yn ysgolion cynradd Llanwrtyd, Llanfair-ym-Muallt, Trefonnen, Llandrindod a Rhaeadr Gwy brofi gwefr ddyfnach wrth ddefnyddio'r Gymraeg. Gweledigaeth Olwen oedd pe gallent deimlo cynnwrf wrth drin geiriau'r iaith y byddai hynny'n eu hysgogi yn ddiweddarach i barhau ag addysg Gymraeg yn yr ysgol uwchradd yn Llanfair-ym-Muallt. Rhannwyd y dosbarthiadau cynradd rhwng Iwan a minnau gan roi'r 'Barcud Coch' inni yn thema.

Unwaith eto roedd y barcud yn cynnig sawl delwedd inni – yr iaith ar drai, ac yna'n ailennill tir; dyddiau olaf Llywelyn yn y fro hon; Glyndŵr ar herw; y barcud fel aderyn ysglyfaethus, brenhinol ... Cawsom sesiynau dyfeisgar iawn yn y broydd hyn a noson yng nghwmni'r plant a'u rhieni i gyflwyno'r cyfan ar y diwedd. Aeth Olwen ati i gyhoeddi'r cyfan yn gyfrol liwgar. Dyma gyflwyniad Iwan a minnau iddi:

Bu'n braf dod i wlad y barcud a dilyn yr aderyn prin i bob cyfeiriad yng nghwmni'r plant. Roedd y thema yn dal dychymyg y dosbarthiadau ac roedd yn hawdd arwain eu brwdfrydedd ar drywydd y cerddi. Aethom i Gilmeri; Abaty Cwm Hir; i weld y wawr a'r machlud; gwelsom y gwanwyn yn dilyn gaeaf; ffoadur yn cael cartref; creadur yn cilio ond yna'n ymestyn ei diriogaeth, a daeth peth o newyddion y dydd i'r cerddi hefyd wrth gymharu'r barcud ag arweinyddion pwerus. Mae'r cerddi yn mapio gwlad y barcud ac yn cynnwys llawer o enwau lleoedd hyfryd ardaloedd Rhaeadr, Llandrindod, Llanwrtyd a Llanfair-ym-Muallt.

Ond i ni'n dau, daeth stori lwyddiannus y barcud yn fyw yn yr ysgolion wrth glywed plant y fro yn gweithio'n greadigol drwy gyfrwng y Gymraeg. Diolch iddynt, diolch i'r athrawon i gyd ac yn arbennig i Olwen am sbarduno'r cyfan.

Y Ffoadur

Uwch y strydoedd, y llygredd a'r llwch,
yn yr awyr lwyd,
roeddwn i'n hofran
uwch y sbwriel
yn chwilio am fwyd:
y waliau yn cau amdana'i
y drws wedi cloi,
y brenin a'i lu am fy ngwaed i
i ble fedra'i ffoi?

Uwch y llynnoedd, ar yr awel iach
rwy'n hedfan yn rhydd,
yn gweld golau ar y mynyddoedd
a thoriad dydd:
yn gweld enfys yn codi o'r niwl,
a'r gwanwyn ar waith;
rwy'n falch i mi godi 'mhac
a dechrau'r daith.

> Disgyblion C3 ac Iwan Llwyd
> *Ysgol Trefonnen, Llandrindod*
> *Mawrth 2003*

Beth bynnag oedd y thema neu'r lleoliad, pethau bychain oedd yn codi o'n sgyrsiau cychwynnol gyda'r plant oedd deunydd y cerddi yn ddieithriad. Er bod ganddon ni syniad go lew beth fyddai'r cefndir, geiriau'r plant oedd y deunydd. Mae Iwan yn crynhoi hyn yn daclus yn ei gyflwyniad i'w gasgliad o gerddi plant yn y gyfrol *Pac o Feirdd*:

I mi, mae barddoniaeth fel tynnu llun efo geiriau. Mae'r bardd yn ceisio dal eiliad o brofiad neu deimlad. Ac mae'n rhaid dewis yr eiliad a dethol y geiriau. Gall ysbrydoliaeth ddod o sawl cyfeiriad. Sgwrs. Digwyddiad.

Rhaglen deledu. Papur newydd. Sylwi ar rywbeth bach, di-nod yn aml, ac weithiau pethau mwy trawiadol neu arwyddocaol. Ac yna ceisio defnyddio delwedd neu lun geiriol i wneud y llun yn weladwy i eraill.

Ac mae hynny'n bwysig. Cyfathrebu ydy hanfod pob barddoniaeth. Er bod llawer ohonom wedi ein magu ar y ddelwedd o'r bardd unig yn ei lofft tamp yn byw ar gaws fel llygoden eglwys, yn tywallt ei ofid a'i gariad a'i ddicter ar ddalen lân yna ei sgrynshio i fyny a'i thaflu i'r bin sbwriel rhag i rywun ei darllen a chywilyddio, mae yna ddarlun llawer hŷn o'r bardd – yn arbennig yng Nghymru. Dyma'r bardd fel ffigwr o ddylanwad o fewn cymdeithas – yn cofnodi, dathlu, marwnadu, dychanu – y cyfan yn fater o gyfathrebu a diddanu ei gynulleidfa. Ac er mwyn cyfathrebu mae'n rhaid bod yn ddealladwy. Does dim pwrpas defnyddio iaith neu ffurf neu ddelwedd nad oes neb arall yn ei deall. Ond eto mae barddoniaeth yn fwy na sgwrs, neu ddeialog, neu ddisgrifiad, neu bregeth, gobeithio. Dyna grefft y bardd, troi geiriau cyffredin, trwy ddefnyddio delweddau, odlau, mesurau, rhythmau, yn rhywbeth arall, sy'n medru cyffroi darllenydd neu wrandäwr.

Y gweithdy olaf ym Maenclochog

Calan Mai 2009 oedd dyddiad y gweithdai olaf a wnaeth Iwan a minnau gyda'n gilydd. Wedi noson yn Nhrefdraeth, roeddem yn treulio'r bore yn Ysgol Maenclochog a'r pnawn yn Ysgol y Frenni, Crymych. Ar y ffordd o D'udra'th, yng nghanol mynyddoedd y Preseli, dyma fo'n gofyn i mi: 'Lle dan ni'n mynd heddiw?' Nid cwestiwn daearyddol oedd o, mi wyddwn hynny – holi i ble roedd y geiriau am fynd â ni yng nghwmni'r plant yr oedd o. Wrth inni basio'r Dafarn Sinc, dyma fi'n awgrymu: 'Beth am inni ddechrau efo'r sŵn yn y maen hir, 'Maenclochog'?' Wrth inni barcio o flaen yr ysgol, dyma fo'n nodio a dweud, 'Iawn, gychwynnwn ni yn fan'na'.

Roedd Ann y brifathrawes yn hel y plant i'r neuadd ac yn eu gosod i eisteddd ar lawr yn rhesi fel enfys o'n cwmpas. Sôn am y Pow-wow gafodd o yng nghwmni llwyth y Pueblo yn America wnaeth Iwan i ddechrau – roeddan nhwthau yn eistedd yn gylch o amgylch y maes perfformio ar gyfer gŵyl fawr flynyddol eu diwylliant. Finnau'n sôn am dai crynion yr hen Geltiaid ac olion hynafol y Preseli. Iwan yn sôn am gylch y flwyddyn a phwysigrwydd y diwrnod arbennig hwnnw – sef Calan Mai – i'r Celtiaid. Finnau'n sôn am galendr amaethyddol y Celtiaid a'r angen i astudio'r haul a'r lleuad a'r sêr er mwyn dysgu pa un oedd yr adeg orau i hau'r cnydau er mwyn cael eu medi cyn gaeaf. Iwan yn sôn am greu calendr efo meini hirion a chylchoedd a chysgodion. Finnau'n sôn am galan hogi ar gyfer rhoi min ar gryman. Iwan yn plethu'i dalcen ac yn gwneud llygaid Twrch Trwyth arna'i, wedi colli'r trywydd am ennyd. Dyma fi'n gwneud llun calan hogi ar y bwrdd gwyn – mi allai hefyd fod yn faen hir: calan oedd yn creu 'calan'-der ar y tir, er mwyn dynodi gwyliau fel Calan Mai. Iwan yn dadblethu'i dalcen, yn ôl ar y trywydd, ac yn dechrau dawnsio yn ôl ac ymlaen at y bwrdd gwyn wrth odro lluniau o Fai ac o'r gwanwyn o ddychymyg a phrofiadau'r plant. Dyma ni'n cyrraedd y Maen Clochog, a cheisio dyfalu pa ddiben oedd cael maen oedd yn atseinio fel cloch o'i daro mewn lle arbennig.

Wrth geisio cyffroi ac ysgogi plant i ddefnyddio'u dychymyg, mae amser a lle yn bwysig – defnyddio'r tymor a'r tywydd a dechrau wrth draed y plant o ran lleoliad. Mi fyddai pob cerdd yn brofiad gwahanol wedyn, ond yn bwysicach na hynny roedd yn cychwyn gyda'r cyffredinol,

o ddydd i ddydd – cyn codi, gobeithio, i ryw dir arall wrth i'r plant gael eu hysbrydoli. Mi ddigwyddodd y diwrnod hwnnw ym Maenclochog ac roedd brwdfrydedd a miri'r plant wedi'n heintio ninnau.

Weithiau, mi fyddai hi'n ping-pong yn ôl ac ymlaen rhwng ein gilydd – Iwan yn pysgota mewn un pwll, finnau'n taflu abwyd i bwll arall, a'r plant yn brathu yma ac acw. Yna, o unlle, byddai brithyll mawr yn codi dan y cyll – un o'r plant yn cael gweledigaeth a thaflu gair a hwnnw'n creu sblash a chylchoedd dŵr yn chwalu i bob cyfeiriad. 'Waw!' fyddai Iwan yn ei ddweud. 'O ble daeth hwnna? Mae hwnna yn amêsing!' Mi fyddai'r lle i gyd yn drydan am sbel wedyn a'r plant i gyd yn awchus i fachu sylw tebyg.

Wrth ailddarllen y gerdd hon, mi fedra i glywed 'sblash y brithyll' o hyd. Roedd y ddau ohonom yn pysgota am y gair 'rywle' ar ddechrau'r ail linell. Dyma un plentyn yn cynnig 'o unman' – SBLASH! Mwya' sydyn, mwya' dirybudd, yn llawn cyfrinachau a dirgelwch – dyma wennol a dyma wanwyn. Roedd y rhan fwyaf o'r geiriau gennym ar draws y bwrdd du neu yn y drafodaeth lafar a gawsom eisoes am Galan Mai a meini'r 'hen bobol' ar y Preseli, arwyddocâd y cromlechi a'r cylchoedd cerrig ac ati. Ac eto yn yr ail bennill, wrth dyrchu am y gair 'simsan' i ddisgrifio ebol – cynigwyd 'ebol siglo' gan un arall o'r

Caru Mai

Ym Maenclochog, Calan Mai,
O unman daeth y wennol
I nythu yn y sgubor wag,
Fel d'wedai yr hen bobol.

Caru gwlith ar garreg las,
Caru heulwen ar gors eithin,
Caru'r ebol siglo swil,
A charu'r plant yn chwerthin.

Tymor glasu brigau'r coed,
A thymor yr hen ffeiriau,
Tymor caru ym mis Mai,
Ym Maenclochog – caru geiriau!

Iwan Llwyd a Myrddin ap Dafydd
gyda phlant Ysgol Maenclochog
Calan Mai 2009

plant. Sblash arall! Dwy ferch fach gwirioneddol wreiddiol gynigiodd y 'caru geiriau' sy'n cloi'r gerdd.

Gofyn cwestiynau a chael cerddi yn atebion y plant oedd patrymau'r sesiynau hynny. Weithiau, byddai'r atebion yn annisgwyl ac yn wych. Weithiau byddai atebion yn newid trywydd ac yn newid ystyr y cyfan. Nid oedd y fath beth ag ateb 'cywir' yn y sesiynau hynny. Ein braint ni oedd cael agor giatiau a gofyn cwestiynau.

Myrddin ap Dafydd

Bwystfil Gelli Onnen

Ar nos niwlog oer,
A chysgod ar y lloer,
A'r gwynt yn y brigau yn crio:
Daeth rhyw adlais ddofn,
A finnau'n llawn ofn,
Heb wybod pwy oedd yn gwylio.

Roedd y goedwig fel y bedd,
Yn ddychrynllyd ei gwedd,
Ac fe welais i fin ei grafangau,
Ei groen blewog, blêr,
A'i lygaid fel sêr,
A'i anadl yn teimlo fel angau.

Fe redais fel y gwynt,
Yn gynt ac yn gynt,
Gan adael y bwystfil ei hunan,
A dianc i'r gwyll
Rhag hen fwgan hyll,
Diflannu yng nghwmni'r dylluan...

Iwan Llwyd a phlant Ysgol Gelli Onnen, Clydach.

Mi ofynnodd rhywun i Iwan un tro: 'Are you some kind of a wizard?' Mae'n wir i mi golli aml i noson lawen bron yn gyfan gwbwl am ei bod yn ganmil gwell gen i ei gwmpeini dewinaidd o yn y bar. Ac mi welais ugeiniau o blant yn dod o dan ei gyfaredd hefyd. Roedd hi'n bleser pur ei weld yn gweithio efo nhw. Ryw ddeufis cyn ei farw, buom ar gyrch yng Nghwm Tawe. Rhannwyd plant ysgol Gymraeg y Gelli Onnen yng Nghlydach yn ddau ddosbarth. Roedd dosbarth Iwan, 'Grŵp Gorau'r Byd', am y pared â'm dosbarth i. Er tywylled y thema, chlywsom ni ond chwerthin mawr ganddyn nhw drwy'r bore...

Twm Morys

Trydar

Mae 'na ysgwydd i grio arni
ym mhob tafarn oer,
mae 'na ynys i nofio ati
yn llynnoedd unig y lloer:
mae llais yn galw drwy'r holl dywydd garw
a glannau newydd lle'r â'r haul i lawr,
alawon tirion yn torri drwy'r twrw,
fydd fory'n atgyfodi'n fawr:

a gawn ni siarad cariad
yng nghlustiau'n gilydd
tra bo dau,
a gawn ni weu breuddwydion
drwy hunllefau'n gilydd
cyn i'n llygaid gau.

Mae braich i bwyso arni'n
cadw'r blaidd rhag y drws,
ffrindiau gorau'n cadw cwmni'n
boddi brathiad y blws:
y nos ddi-gysur a phenawdau'r papur
yn toddi'n enfys yn yr haul a'r glaw,
a chrawc y gigfran a chrafangau'r eryr
yn ddim ond adar yn trydar heb daw:

a gawn ni siarad cariad
yng nghlustiau'n gilydd
tra bo dau,
a gawn ni weu breuddwydion
drwy hunllefau'n gilydd
cyn i'n llygaid gau.

Iwan Llwyd

Bob hyn a hyn byddai Iwan a mi'n cael rhyw chwiw trio cystadleuaeth Cân i Gymru. Wnaethon ni byth gyrraedd y rhestr fer efo'n gilydd, er iddo fo gael llwyddiant mawr yn y gystadleuaeth efo Elwyn Williams a'r gân "Tŷ Coz", sydd bellach yn un o'n clasuron cyfoes. Ond roedd y geiriau hudolus yma'n haeddu gwell. Roedd yna ochor breifat iawn i Iwan, a rhyw dristwch ac unigrwydd mawr roedd o o hyd yn trio'i orchfygu. Tueddu i ganu ei ganeuon heb fyfyrio rhyw lawer drostyn nhw fyddwn i, ond dwi'n gweld rŵan mai yn ei gerddi a'i ganeuon mae canfod yr Iwan go iawn.

Geraint Løvgreen

Walts Sara

Ti'n cofio'r nosweithia
yn y Villa Pantana,
a phopeth ond y cwrw yn oer,
ac yna tynnu stumia,
a ffenestri'r bys adra
yn stemio yng ngolau y lloer:

ti'n cofio Caernarfon
yn y glaw llwyd digalon,
cymylau yn cau am y cei,
a hogan drws nesa
a'i sgert am ei sodla,
yn chwythu cusanau bach slei.

Wel dwi'n dal i gofio'r cyfan fel 'tae
heddiw yn ddoe:
o Galan gwyn i Galan,
yn troi a throi yn fy unfan,
yn union fel ceffylau chwil y sioe...

ti'n cofio yr eira
ar y lôn dros y Banna',
ac injan yn fan las ar dân,
ti'n cofio Bethesda
a phawb ar eu glinia'
yn gweld y sêr yn y gân:

ti'n cofio'r gymdeithas,
y gwres ar y teras
a'r gic ola'n glanio'n y gôl;
a throi adre wedyn
ar ddiwedd hen flwyddyn,
ond wnawn ni ddim edrych yn ôl:

Achos dwi'n dal i gofio'r cyfan...

Iwan Llwyd

Mi gawson ni gyfle i recordio sesiwn Unnos i Radio Cymru yn Ionawr 2010 – a dyna sesiwn recordio olaf Iwan. Roedd ganddo fo'r geiriau yma'n hel atgofion am y nosweithiau difyr roedden ni wedi'u cael gyda'n gilydd ddeng mlynedd ar hugain yn ôl ar y lôn gyda'r grŵp Doctor. Atgofion am lefydd hollol wallgo fel y Villa Pantana, clwb yng Ngarndolbenmaen a gafodd ei droi'n gartref henoed yn ddiweddarach. Ar ben y papur roedd o wedi sgwennu'r geiriau "Waits ara", sef cyfarwyddyd i mi y dylai'r gerddoriaeth fod yn arddull un o ganeuon araf Tom Waits. Mi wnes i gamddarllen y geiriau fel "Walts ara", a hysbysu'r cynhyrchydd ar y noson mai dyna oedd y gân. Mi gamglywodd hwnnw'r geiriau fel "Walts Sara", a "Walts Sara" ydi hi bellach.

Geraint Løvgreen

Un o gerddi taith 'El Dorado' ydi hon. Tua diwedd y daith, yn y Wladfa, y sgwennodd Iwan hi. Mi wnaeth alaw iddi wedyn, a chreu un o'i ganeuon mwya' cyfareddol.

Roedd gan Iwan ddawn i droi ffeithiau a digwyddiadau penodol yn ddelweddau llachar, breuddwydiol, weithiau, ond mewn iaith gwbwl ddi-lol, nes creu cerddi y gellir eu dehongli mewn mwy nag un modd. Felly hon. Ychydig ynghynt, buom yn y Plaza de Mayo yn Bwenos Aeres, lle bydd mamau yn gorymdeithio bob dydd Iau i gofio am y bobol ifanc a 'ddiflannodd' tra oedd y Cadfridog Galtieri mewn grym yn y 1970 a'r 1980. Bu hynny ar feddwl Iwan am yn hir. Dyna ydi 'cur y diflanedig'. Llefydd yn y Wladfa ydi 'Llain Las' a 'Bryn Crwn'. Mae'n ffaith hefyd inni weld cawod sêr, ac i hen ffarmwr landio yn ein hymyl ni yn hwyr un noson, yn llwch drosto a heb eglurhad yn y byd, a siarad Cymraeg. Mae arwyddocâd arbennig, dirgel, i'r ymadrodd 'llais y pellter yng nghalon bardd' wedyn. Ym Mheriw, mi ddarganfu Iwan bod gair sy'n swnio'r un fath yn union â'r gair Cymraeg 'caru' yn bod yn iaith yr Incas. Ei ystyr o ydi 'pellter'.

Rwy'n cofio trafod efo Iwan sut roedd o am gydnabod T.H. Parry-Williams, ei arwr, cydymaith inni ar y daith, ac awdur y gerdd fach un pennill mae o'n ei dyfynnu yn hon. 'Gydag ymddiheuriadau i T.H.P-W...' y byddai llawer wedi ei sgrifennu mewn cromfachau. Ond doedd dim angen ymddiheuro dim, nag oedd?

Twm Morys

Y Weddi

(ar ôl THP-W)

Gwesty diarth, llygaid hardd,
llais y pellter yng nghalon bardd,
a thrwy fwg swnllyd y teliffôn
mae dinas arall i lawr y lôn:

cysgod angau, canu caeth,
deryn terfysg yn cerdded traeth,
ac ar y gwifrau blin mae cur
y diflanedig yn dod drwy'r dur:

'Clywais hi'n gynnes o'm hamgylch,
mwynheais ei chyffwrdd swil,
a gwn pwy a'i gyrrodd i grwydro
o Gymru i gyrrau Brasil...'

Llain las a bryn crwn,
wyddost ti ddim am hyn mi wn,
ond rhwng y nos a'r gawod sêr
fe ddaeth yr iaith fel ffarmwr blêr.

Iwan Llwyd